OHSAMA BUNKO

見てきたように面白い「超古代史」

黒戌 仁

JN102836

三笠書房

はじめに……「音」と「神話」に隠された、超古代史の謎に迫る本

地球上には、さまざまな謎が残されています。

たとえば――

■**「ピラミッド」**や**「ナスカの地上絵」**などの、巨大な遺跡は土木技術が発達していない時代に誰がつくったのか

■**「太陽神ラー」**や**「シュメール神話のエンキやエンリル」**といった、現存する壁画や石板は何を示しているのか

■神話に登場する空想上の生物とされる生命体はなぜ、**上半身が人間で下半身が動物**といった姿をしているのか

■そもそも**「アダムとイヴ」**は何者なのか、そしてどこから来たのか……

これらの謎を解こうとしても、文献もない時代の出来事であるがゆえに、さまざまな解釈が至るところで跋扈《ばっこ》しているのが現状です。

しかし、ちょっと待ってください。

もしかしたら、21世紀の今の常識、技術、価値観で超古代の事象を解釈しようとしていませんか。次のように、少し見方を変えたら、どうでしょう。

「人類は本当にシンプルな細胞から発生したものなのか」

「生命は、『地上にあったもの』が始祖なのか。もしかしたら、どこからか降り立った者が『始まり』なのではないか」

最初にあげたような、今に残る古代の痕跡《こんせき》の数々を結びつけていくと、明らかになってくることがあります。

そのときに、一つのカギになるのが、世界中で語り継がれ、残されている「神話」。片っ端から読みあさると、各地域それぞれある話に「共通項」が見てくるのです。

私は、幼い頃から働く第六感の力を感じ、インドで学んだヨーガの知識を活かしながら、カウンセリングや開運のアドバイスを行なっています。

日本においても、英気を養うために通う神社で「氣《き》」を感じるのは、私だけではないでしょう。

その日本の神社にまつわる言葉には、インドの古い言葉「サンスクリット語」と同じ「音」の言葉があります。たとえば、「鳥居」「お盆」などは、発音だけでなく、意味まで同じものなのです。

生命をつなぐ私たちの意識下に練り込まれた「音」。そんな「言霊《ことだま》」を研究してたどりついた「超古代史」の真実に迫ってみたいと思います。

黒戌仁

もくじ

はじめに……「音」と「神話」に隠された、超古代史の謎に迫る本　3

プロローグ……「人類創世」の法則　15

●この世界は「言葉」から始まった　16

AUM（オーム）のマントラが表わすもの　20

神話を解明するキーワード　22

第Ⅰ部

地球に降り立った「金を盗る者たち」

——そのとき、姿を現わしたのは……

1 創造主は「宇宙人」だった!? 26
解読された「シュメールの石板」に記されていたメッセージ 28
巨大遺跡「ピラミッド」「地上絵」は巨人族がつくっていた 30
2 地球に降り立った「アヌンナキ」が始めたこと 36
なぜ、今なお「金（ゴールド）」が貴ばれているのか 38
3 上半身は人間、下半身は蛇 48
「人類に文明をもたらす神」が持つ魔法の杖 49
4 つくり出された「生命体」が持ちえなかった能力 56
「神だけがつくれるもの」とは？ 59
5 ここで生命は海から陸へ 63
今もなお「しめ縄」は語っている 65

6 「絶滅」が運命づけられた生命体たち 71
「ルル・アメルプロジェクト」とは何か 74
7 ついに——人類の祖「レムリアン」誕生！ 79
石板に記された「生物を生み出す」方法 83
「すべてにおいて勝るもの」は一つだけあればいい 84

第Ⅱ部 生殖能力を獲得した「人類の誕生」

——それは神か、悪魔か……

8 身長40メートルのアダムとイヴ 94
「みずからの意思で働く者」がいればいい 96
9 「エデンの園」と羽衣伝説 99
正直で、繊細で、そして性にオープン 102
10 「狩猟民族」の始まり——牛頭族 104

頭に「角」がある者たち　106

11「ムー大陸」の登場　109

ヒトラーも探し求めた「黄金都市ヒラニプラ」　112

「蓮のポーズ」は何を表わしているのか　113

絶海の孤島にあるモアイ像に記されている不思議な文字　114

12 歴史を変えた「知恵の実」は誰が、どこからもたらしたのか　121

『ギルガメシュ叙事詩』の注目すべき一節　122

アダムと元カノのリリス　124

「リリス」はなぜ悪魔とされたのか　126

13『旧約聖書』には書けなかった「楽園追放」の真相　130

成長、進化の「くびき」を負った者たち　134

14「アトランティス」の地での出会い　137

「悪霊たち」は生み落とされた　139

15 なぜ私たちはトカゲを嫌悪するのか　148

「エサ」として好まれるものが持つ特定の周波数　151

16 すべての生命を巻き込む超古代戦争の始まり――『竹内文書』から 154
「楽園を追放された者vs楽園に残った者」 156
「トラウマ」と「恨み」のエネルギー 157
17 ついに「ポールシフト」が起こった! 159
「滅亡」は繰り返される 160

第Ⅲ部 現代人をも悩ます「原罪」の始まり
――なぜ、この世は同じことを繰り返すのか

18 「ドゴン族」の神話を読み解く 166
「太陽と月と大地」の幕開け 167
「言葉の壁」はこうして生まれた 170
19 何が「善」で何が「悪」なのか 182
20 1万2000年前に栄えていた謎の都市「ギョベクリ・テペ」 190

なぜ、「何もないところに、突然……」 192
1万2000年前のオーパーツ 195
21「天命の書板」が持つ宿命 198
22 今なお私たちは「メー」に支配されている 201
「666」の暗号 202
高度な文明を持つ悪魔たち 206

コラム

◆「時の番人＝シヴァ」とは 41
「時の概念」を超えて 42

私たちが見る「走馬灯」の真実　45
◆「逆さ」とカバラ思想　51
あらゆるところにある「逆さ現象」の意味　52
◆「造化三神」　88
世界中の神々に共通する点とは　89
◆狩猟民族と農耕民族の宿命　119
◆あらゆる神話に登場する「悪魔の根源」　142
「サマエル」とは？　145
◆「破壊→創造→維持」の定められたサイクル　173
日本神話と「ウの神」　174
都合の悪かった神　179
◆神の「名」が示しているもの　185
血統へのこだわり　188
◆すべての真理を開くカギ――「369」　210
369は高次元へとつながる数字!?　212

「魔が差す」のはなぜか　215
この世の文明は、すべて「9」に関係する　217
おわりに……「ヴァーチャル・リアリティーの世界」への入り口　221

本文イラストレーション◎後藤範行

※超古代史には諸説あるため、本書で紹介する内容は、著者独自の見解も含まれています。

写真提供◎31ページ：akg-images／アフロ、37ページ：Album／Prisma／共同通信イメージズ、53ページ：Alamy／アフロ、67ページ：akg-images／アフロ、105ページ：共同通信社、115ページ：Erich Lessing／Album／共同通信イメージズ、123ページ：Bridgeman Images／アフロ、175ページ：山本忠男／アフロ、197ページ、Ken Welsh／Universal Images Group／共同通信イメージズ

プロローグ

「人類創世」の法則

この世界は「言葉」から始まった

「初めに言葉ありき、言葉は神と共にあり、言葉は神なりき」

有名な『新約聖書』(「ヨハネによる福音書」)の一節です。「言葉」は神であり、この世界の根源として神が存在することが説かれています。

この世界の始まりを考えるうえで、言葉はとても重要なものです。

私たちが日常使っている日本語。世界のさまざまな言語の中で、最も学習が難しいとされ、最も響きが美しく、情緒にあふれ、心情を表わすことに長《た》けた言葉、それが日本語です。

太古の日本では、人間の体と日本語はそれぞれ48の要素と音韻《おんいん》で構成されていると考えられていたため、日本語の音韻を正しく発声することで、体の働きが天地と自然に通じ、一つになるとされていました。これこそが、「**言霊**」という思想の原点です。

48の音韻、それぞれが「精神の構造を表わす」ともいわれています。

また、日本語はすべてに母音「ア行」が含まれています。母音は唯一、宇宙とつながる言霊であるとされ、自然エネルギーと同調するように、一つひとつの音のすべてが意味を持っています。

それらを含めて、**日本語は世界で一番周波数の高い言語**であるといわれているのです。

また、現代の「インド・ヨーロッパ語族」のルーツとされ、世界最古の言語ともいわれている「サンスクリット語」（漢字圏では「梵語《ぼんご》」）と日本語には、密接なつながりがあります。

日本語の五十音の配列は、サンスクリット語の伝統的な音韻表の配列に由来していると考えられ、たとえば、「鳥居」「お盆」「旦那」「屋根」などの言葉は、すべてサンスクリット語に由来していると見られています。

しかし、逆に、日本語からサンスクリット語へと変化していったと考えることもできるのです。

もともと1万5000年ほど前に、日本最古ともいわれる「幣立神宮《へいたて》」（熊本県上益城郡山都町《かみましきぐんやまとちょう》）から世界へと旅立った「五色人《ごしきじん》」たちが、地球上のさまざまな国で文明を興《おこ》しました。

しかし、大洪水で一度にすべてが流されてしまい、各地の山の上で暮らすことを余儀なくされてしまった。その山が、ヒマラヤだったり、アララトと呼ばれる山だったり、カイラス山だったり――。

地上が落ち着きを取り戻した頃、それらの山から降り、また日本に戻ってきた一族もいたのでしょう。

ヒマラヤの麓《ふもと》に広まったサンスクリット語と日本語が、ほぼほぼ同じ音韻表の配列に沿っているのは、そのためではないでしょうか。

冒頭でご紹介した『新約聖書』の一節を発したとされるヨハネも、実は日本人だったのではないかともいわれています。「四八《よは》の音《ね》」と書いてヨハネ。

先述の「日本語は48の音韻で構成されていた」とは、ここからきているのかもしれません。

また、日本人の祖とも考えられるアイヌ民族やネイティブアメリカンは、言葉を神聖なものとしてとらえていて、「神」に、そもそも名前をつけるのは畏《おそ》れ多いという概念を持っていました。

そのために、アイヌは「カムイ」、ネイティブアメリカンは神の力を「グレートスピリッツ」と呼んで、それを敬《うやま》い、畏れました。

ネイティブアメリカンの教えに、「病気の名前を言葉に発してはならない、言葉で言えば病気に力を与えてしまうから」というものがあります。

そう考えてみると、今の日本語はずいぶんと穢《けが》されてしまったような気がしませんか。

●AUM（オーム）のマントラが表わすもの

古代インドでは、宇宙が生まれたときの音を「オーム」と表現しました。この音は、この世界を司《つかさど》る神聖な音であり、神そのものといわれています。

この「オーム」は、アルファベットで「AUM」と書き、もともとの読みは「アウン」です。

ただし、サンスクリット語には、AとUが隣り合うと同化して長母音《ちょうぼいん》「オー」になる音韻法則が存在します。そしてMは鼻から抜ける音なので、この三つがつながると実際は「オーン」と発音します。

これが真言宗《しんごんしゅう》で唱《とな》え続けられている「唵《オン》」、「唵阿毘羅吽欠蘇婆訶《オンアビラウンケンソワカ》」（大日如来《だいにちにょらい》）などの真言（マントラ）の「オン」のことで、実際は「オウン」であり、「オーン」になるのです。「蘇婆訶」はサンスクリット語で「スワハー」といい、元は「帰依《きえ》すること」という意味があります。

この「AUM」は、**「創造、維持、破壊」**のそれぞれを司っています。生まれたとき（創造）が「ア」、生きて（維持して）いくのが「ウ」、終わり（破壊）が「ン」。ですから、万物の始まり、維持、終わりが「オーン」という言葉（響き）に凝縮されているというわけです。

また、インドでは「AUM」のそれぞれを担《にな》う神が存在しています。

Aは創造の神「ブラフマー」、Uは維持神「ヴィシュヌ」、最後にMが破壊神「シヴァ」です。この三神にはそれぞれが司る数字があり、ブラフマーは3、ヴィシュヌは6、シヴァは9です。

そして、くわしくは本文でお話ししますが、「3、6、9」という数字には、**「この世界そのものの原理がある」**とされていて、それを理解し、悟った者のことを「弥勒（ミロク）」と呼んでいます。

これを三次元的に見てみると、**シヴァが「時間」、ブラフマーが「物質」、ヴィシュヌが「空間」を司っている**、とされています。キリスト教の「三位一体《さんみ》」や、ヒンドゥー教の「三神一体」と呼ばれているものは、ここに由来すると思われるのです。

そもそも「GOD」（ゴッド）という神の総称も、「G」（Generator＝発生者）、「O」（Operator＝操作者）、「D」（Destroyer＝破壊者）の三神の頭文字から成るものです。GODもまた、創造神、維持神、破壊神の総称を表わしています。

このように「AUM」という言葉（響き）には、この世の仕組みである**「破壊があり、創造され、維持していく」**ことが表現されているのです。

●神話を解明するキーワード

これから、世界最古の神話とされる「シュメール神話」や「古史古伝《こしこでん》」を軸に、超古代史の謎に迫っていきます。

そこでは、次々にいろいろな神が出てきては、呼び名を変えたり、姿を変えたり、男性だったはずなのに子どもを生んだり……。

かと思えば、生んだ子と結婚して、その間に子をもうけたり、その子どもが双子であったり、一つの体に別の魂を有していたりと、現在の常識では考えられないような現象や、タブー視されているような行為が平然と行われるさまが、語られています。

たしかに、神話では、今の世の常識で考えたら、理解できないことばかりが起こっています。

しかし、それは長い歴史の間に植えつけられた「常識」が想像の翼を奪ってしまったために、私たち現代人の前に越えられない壁が構築されただけなのかもしれません。そのことが神話の世界への理解をさらに難しくしているのですが……。

ただ、次のことを基本にして考えれば、必ず真実が見えてきます。

まず、**この世界は「造化《ぞうか》三神《さんしん》」と呼ばれる者によってつくられた世界であると**いうこと。

はじめに、この地球という星に降り立った者（M＝破壊神・ム祖の神）がいて、地上に降り立った際に、そこにいた生命体（A＝創造神）と交わることを決め、その間に子ども（U＝維持神）が生まれた。

すべての神話はこの三者を神になぞらえ、いわゆる「造化三神」として物語を始めていくのです。そのことを知っておくだけでも、混沌《こんとん》とした世界が一気にわかりやすくなっていくはずです。

では、さっそく我々がどこから来たのか、見ていきましょう。

第I部

地球に降り立った「金を盗る者たち」

——そのとき、姿を現わしたのは……

1 創造主は「宇宙人」だった!?

今も地球上に残る不思議な遺跡は、類人猿との共通祖先から進化したとされる我々人類の手によるものなのか？

超古代史を語るうえで、最も大きなカギとなるが**「人類の起源」**です。

これまで私たち人類は、今から約700万年〜600万年前に、アフリカの地で、チンパンジーなどの類人猿との共通祖先から分かれて進化したもの、と教えられてきました。

いわゆる「ダーウィンの進化論」（その著書『種の起源』で説かれた生物は自然の選択によって環境に適応するように進化する、という考え方）です。

しかし近年、科学者たちの調査で、このダーウィンの進化論への疑問が呈《てい》されています。それは、人類は類人猿との共通祖先から進化したのではなく、「突然変異で生まれた」のではないかというものです。

この「突然変異」とは、遺伝子の質的または量的変化によって生じた変異のことでつまり、生物の体に、それまで親から受け継いできたものとは、まったく異質のものが突然生じ、それが遺伝していく現象です。しかし、突然変異を起こした種は、一般的には進化せず、退化するようですから、**なぜ人だけがこんなに進化を遂《と》げているのか**――いまだに謎のままです。

2018年5月に、アメリカ・ロックフェラー大学のある研究チームが、それまでの定説を覆《くつがえ》すような驚くべき研究結果を発表しました。

世界中の研究者数百人が、10万種の動物から採取した遺伝子の断片、「DNAバーコード」と呼ばれる、短い遺伝子マーカー500万個を徹底的に調べたところ、現在、地球に生息する、ヒトも含む生物種の約9割が20万年~10万年前に出現したことがわかったそうです（AFPBB NEWSを要約）。

現存する生命のほとんどが、いっせいに突然出現したとは、いったい何が起こったのでしょうか。

これを解明していくヒントが、今からおよそ5500年前の「メソポタミア文明」にあります。

解読された「シュメールの石板」に記されていたメッセージ

今からおよそ7500年前、メソポタミアには「ウバイド人」と呼ばれる先住民族が住んでいました。

彼らは、青銅をつくる技術を持ち、武術に長《た》けた民族でしたが、のちに、このウバイド人を追いやるかたちで、農耕技術にすぐれていたとされるシュメール人がやってきます。

それが紀元前3500年頃、今から5500年ほど前のことです。そのあたりから「ウルク紀」という時代が始まりました。

そして、20世紀のあるとき、パレスチナの考古学者であり、古代ヘブライ語研究者でもあったゼカリア・シッチン教授により「シュメールの不可思議な石板」が解読されます。

そこには、こう書かれていたのです。

今から40万年ほど前に、「惑星ニビル」から「アヌンナキ」という生命体が訪れた。

世界最古の文明の一つとして知られる、メソポタミアの地から出土した石板に、このようなことが書かれていたので、当時はとても話題になりました。

私たちの祖先は、類人猿との共通の祖先から進化したのではない……のかもしれない。

そのことと、惑星ニビルから来たアヌンナキという宇宙人と、どう関係があるのか、皆がその謎を解こうとしました。

この石板に書かれていた惑星ニビルとは、太陽系に存在する第10惑星「うしかい座」にあり、**「交差する星」**という意味を持つそうです。

太陽系といえば、私たちの住む星「地球」がありますが、丸い軌道に沿って、惑星――水星、金星、地球、火星、木星、土星、天王星、海王星、冥王星《めいおう》（2006年より「準惑星」）が波紋状《はもんじょう》に広がっています。つまり、太陽を中心にしてその周りを回っているわけです。

でもニビル星だけは、なぜかそれらの惑星と**「垂直に位置する軌道」で回っている。**そのため「交差する星」という名前がつけられているそうです。ですから、望遠鏡で夜空を観察しても、なかなか見つけることはできません。

巨大遺跡「ピラミッド」「地上絵」は巨人族がつくっていた

さて、この謎の石板に記されたアヌンナキですが、実はシュメール神話にも登場しています。

シュメールの石板に描かれている「アヌンナキ」たち

シッチン教授は、それらを基にして、「50柱《はしら》の偉大な神々」という意味の「アヌンナ」と、「小さな下々の神」という言葉の「イギギ」が合わさり、「アヌンナキ」になったと説いています。

しかし、私がいろいろな神話を読み解く中で、アヌンナキという言葉がアメリカ大陸の先住民・ホピ族の伝承にも出てくることがわかりました。

ホピ族の神話によると、アヌンナキとは、**「蟻《あり》の友達」**を意味しています。「アヌ」が「蟻」という意味で、「ナキ」が「友達」。

彼らは洪水のときに、人類を助けてくれたようで、「地下世界に連れていってくれて、人々は洪水の被害を免《まぬが》れた」という話が残っています。

『旧約聖書』に描かれている「ノアの大洪水」。そこでは洪水後に生き残ったのは、ノアとその家族だけとされていますが、ホピ族や世界各地に残る伝承では、**何種族かは残っていた**ともされています。

のちのちわかっていくのですが、メソポタミア地方で都市文明を最初に生み出したシュメール人が、「友達」として大事にしていた生命体がいました。その呼び名が「アント（ゥ）」。日本語の「アリ」です。それはそのまま「蟻のような姿をしていた」からだといわれています。

日本語が世界最古の言語だという説に、ここでもつながってくるのではないでしょうか。また、シュメール人の遺跡に残された生命体の目が異様に大きいのも、「アリ」と関係しているのかもしれません。

アヌンナキは、身長がおよそ3メートルから10メートルあったそうですが、諸説あり、40メートルほどあったともいわれています。これは、ちょうど「ウルト

この巨大な「ナスカの地上絵」を描いた者とは……

ラマン」と同じ身長――偶然なのでしょうか。

そう聞くと、トンデモ話のように思えますが、江戸時代の浮世絵にも巨人は描かれていますし、日本の昔話でも「デイダラボッチ」（ダイダラボウ、ダイラボウなどさまざまな呼び名がある）や「大入道《おおにゅうどう》」など、多くの巨人が語り継がれています。

それを踏まえれば、世界各地の巨大遺跡、たとえば「ナスカの地上絵」や「ピラミッド」など、常識ではちょっと考えられない規模の建造物などについても説明がつきます。

実際、沖縄県の与那国島《よなぐにじま》付近で見つかった「海底遺跡」はどうでしょう。

そこには、とても大きな階段があります。今の私たちのスケール感からすると、「どうやってつくるんだ？」となるものです。実際に科学技術が発達していなかった時代に、あれだけのものが、どうやってつくられたのか……今の人間の「サイズ」で考えたら、答えは見えてこない気がしませんか。

ちなみに、「巨人族」として知られる「ネフィリム」（『旧約聖書』の「創世記」および「民数記」などに記される種族）は、寿命が10万歳といわれています。

これはのちの『指輪物語』（J・R・R・トールキン著）などのファンタジー作品にも登場する「エルフ」（ゲルマン神話に起源を持つ北ヨーロッパの民間伝承に出てくる種族）などにも通じる話です。

もしかしたら、アヌンナキの記憶がその後の巨人族のネフィリムやエルフ、はたまたウルトラマンに姿を変えて、神話や民話の世界、そして現代社会に生き残っているのかもしれません。

このアヌンナキの寿命は、一説には数十万歳ともいわれています。ニビル星は約3600年周期で地球に接近するとされています。また、ニビル星の1日は、地球での3600日（ニビル星の1日が何時間かは正確にはわかっていない）という説もあります。

量子力学において、宇宙には地球よりも重力の強い星が山ほどあって、その重力によって時間の流れが変わることから、宇宙は地球より時間の流れが遅いと考えられています。**重力の関係で時間は遅くも速くもなる**のです。

つまり、地球に住む人間と比べて、アヌンナキがとてつもなく長寿の生物であることはおそらく間違いないのですが、それは私たちと彼らとでは、時間が進む速度がそもそも違うからだと考えたほうが、合理的なのではないでしょうか。

2 地球に降り立った「アヌンナキ」が始めたこと

アヌンナキの長、最高神「アン」はなぜ、この惑星を選んだのか?

人類は本当に、宇宙から降り立った生物から始まったのでしょうか。

メソポタミアの地に残された石板に記された謎のキーワード「アヌンナキ」。そのアヌンナキの中で長《おさ》とされていたのが、「偉大なる最高神」と呼ばれる「アン」(または「アヌ」)という神のような存在です。

アヌはサンスクリット語で、「原子」を表わしているともいわれています。シュメールではアン、メソポタミアではアヌと、呼び方が違うのですが、同じ神を示しています。

アンは牡牛《おうし》の角《つの》を持った、ジャッカルの姿で描かれることが多いとされていますが、ジャッカルはオオカミの姿によく似ています。ですから、日本で神の名が**「〇〇大神《おおかみ》」**と呼ばれるのは、そのことに由来しているという説があります。

また、「牡牛の角を持つ」ということで、王冠をかぶっていたという説もあります。

「冥界の王・アヌビス像」。
最高神アンの姿が……

このアン（アヌ）がのちにエジプトに伝わり、「アヌビス（金狼犬《きんろうけん》、あるいはこの首を持つ人体で表わされる神）」となったのかもしれません。

アン（アヌ）は「冥界《めいかい》の王」とも呼ばれ、「人の死を選別する」役割を担っています。アンは「すべての神の父」であり、ほかのアヌンナキは「アンの子どもたち」だとされているのです。

この最高神「アン」という言葉。プロローグでお伝えしましたが、古代インドでは、宇宙が生まれたときの音を「AUM（アウン）」で表わしています。

通常、この「AUM」はつなげて「アウー（オー）ン」と発声します。

宇宙の始まりを表わす言葉「アン」と、アヌンナキの最高神の名前「アン」——不思議な偶然ではありませんか。

ちなみに、日本古来の民族であり、山伏《やまぶし》の原型になったとされている隼人《はやと》族は、「吠《ほ》え人」とも呼ばれ、山から山へと仲間同士で伝達をする際に「オーン」と叫んでいたのだとか。彼らもまた、この世界の始まりに深く関わっていくのです。

●なぜ、今なお「金（ゴールド）」が貴ばれているのか

先ほどもお伝えしましたが、アヌンナキはもともと太陽系の第10惑星「うしか

現代の人工衛星にも必須の物質「金（ゴールド）」。
超古代に誰がそれを欲したのか

い座」にある「惑星ニビル」に住んでいました。

「牛」というワードは、アヌンナキの「トーテム」（特定の部族や血縁に宗教的に結びつけられた動植物の象徴）になります。超古代史を解き明かしていくうえで、このトーテムはよく出てきますので、覚えておきたいキーワードの一つです。

そんな彼らが、およそ40万年前に、いったい何をしに地球を訪れたのでしょうか。

これには二つの説があります。

一つは惑星ニビルを覆《おお》う「オゾン層」が破壊され始めたことで、この地球にや

ってきたという説。

アヌンナキは、惑星ニビルのオゾン層を修復するために必要となる「金（ゴールド）の粒子」を求めて宇宙に旅立ち、５０００年かけて地球に降り立ったという説です。その間、さまざまな銀河系に出ては金を探しまわったために、地球到達までにずいぶん時間がかかったようです。

もう一つは燃料説。**宇宙船の燃料が足りなくなり、燃料となる「金」を補充しに地球に立ち寄った**という説です。地球はガスステーションでした。「金」は、宇宙の放射線を防ぐ効果があるとされており、ＮＡＳＡの人工衛星にも使われています。

いずれにしても、アヌンナキは「金」を目当てに地球にやってきたことだけは間違いないようです。

コラム

「時の番人＝シヴァ」とは

インド神話の「シヴァ神」は「時間」を司る神だと、プロローグでお伝えしました。ここでは、「この世」における時間の流れと、それを司るシヴァ神の関係について考えてみましょう。

私たちが今生きているこの世は、基本的に「過去から未来へ」という「時間の流れ」になっています。ただし、死ぬ間際によく「走馬灯《そうまとう》のように生涯が映される」と表現される**「走馬灯」は、「現在から過去へ」と逆再生**されます。

いったいどうして「逆」なのでしょうか。なぜ、記憶をさかのぼる必要があるのでしょうか。

そもそも「時間」の概念とは、もちろん、もともとあったものではなく、この世界に生きていく過程で生じてきたものです。

実際に、魂が存在する霊界（あの世）は「時間のない世界」。時間がないのだから「距離」もなく「過去も未来もない」。つまりは、比較する対象がありません。そのために争いも生まれない。だからこそ、あの世を「極楽」というのです。

ただし、これについては魂のレベルによります。たとえば、「人を騙《だま》してもいい」と考えている者たちは、同じ魂のレベルの場所に集まるので、善行をよしとする魂にすれば、彼らの還《かえ》る世界は「地獄」に見えるのです。

「時の概念」を超えて

そんな、「過去も未来もない世界、時間のない世界」に、私たちは寝ている間に旅をしています。そのとき、私たちの魂は一度、肉体から離れます。肉体から離れることによって、時間という概念を超えることができるのです。

たとえば、懐中電灯を点《つ》けて近くの壁に光が当たるのを確認するまでに、光は地球を7周半するといわれています。この「光速」だと、地球から月へ約2秒で着けます。

しかし、私たちの肉体は瞬時に地球を7週半することなど到底できません。ですが、人間は物質を構成する最小の単位・素粒子よりさらに小さな「幽子《ゆうし》」でできているといわれ、これが人間の体を出たり入ったりして、我々をつなぎながら、この地球上を光の速度を超えた速さでグルグルと回っていると考えられるのです。

日本とは遠く離れた外国に住む友達のことを、ふと思い出した途端《とたん》に、その人からちょうどメールが届いた、というような経験はありませんか？

これは、自分の想いがエネルギーとなり、それが肉体とは離れたところで常に動いているから起こることです。

それは**「氣《き》」**とも呼ばれ、氣のエネルギーというのは、空間や物質を超えて訪れるものです。たとえば、今誰かがあくびをしたら、直後に隣の人へとあくびがうつったりすることも起きてきます。

それも結局、幽子によって時間を超えた「空間同調」が行なわれているのでしょう。

このように、私たちは毎晩のように、肉体を離れて遠い宇宙まで自在に旅をしているにもかかわらず、目を覚ますと何も覚えていません。

なぜなら、肉体に魂が戻ってきたときに、「時空を超えた未来」を見てきたことを忘れてしまうように、プログラミングされているからです。

正確には、「忘れさせられて」またここに戻ってくるのです。

それは、**「9」の数字を司る「絶対神」である「シヴァ神」(死の番人=時の番人)** によって管理されているからです。

たまに「ああ、いい夢見てたんだけど、あれってなんだったっけ?」となってしまうのも、そのため。未来に起こることは、「今のあなたには必要ない情報」という判断です。私たちが、この世界に生きるのは「修行のため」ですから、未来に起こる情報は不必要なのです。だから、すべて消されてしまいます。

そういう世界の中で、自分の肉体を選び、どう生きるのかを決めて生まれ、死んでまた「あの世」と呼ばれるところに戻る。この戻る作業が、私たち人間が最《さい》期《ご》に見る「走馬灯」なのです。

私たちが見る「走馬灯」の真実

日本神話の中に、カグツチを産んで亡くなったイザナミを、イザナギが「黄泉《よみ》の国（あの世）」に迎えにいった際、「イザナミの体がグチャグチャになっていた」というエピソードがあります。これはいったい何を表わしているのでしょうか。

また、日本神話の国譲《くにゆず》りの段では、こんな話もあります。

高天原《たかまがはら》から派遣されたタケミカヅチが、

「私たちが正式な天皇家の者だから国を譲ってくれ」

と、出雲《いずも》のオオクニヌシに頼み

筋骨隆々、ドレッドヘアー、
首に蛇を巻く「時の番人・シヴァ神」像

にいくと、

「自分には権限がないから、コトシロヌシに聞いてくれ」

と答えました（ちなみに、このコトシロヌシは、一般的には恵比寿《えびす》さまとして知られる神様です）。

そこで次に、コトシロヌシに聞きにいきます。

ちょうど船に乗って釣りをしていたコトシロヌシは、

「あい、わかった」

と言って、手のひらを裏に合わせて（手の甲で）柏手《かしわで》を打つ（天の逆手《さかて》）。すると、船が海の底をめがけて逆さを向いて動き出し、そのまま消えてしまった——。

この逆さに向かった先は、黄泉《よみ》の国だったといわれています。

実は、**肉体が滅んだあとに向かうとされる霊界（あの世）は、時間も体も何もかも「この世とは逆」とされています。**

柏手も肉体も、中と外、逆向き。

ですから、あの世に近づく間際に見る走馬灯が逆再生されるのは、死後の世界に近づいている証拠といえるでしょう。

お年寄りが、あるタイミングから幼児化していく現象が見られるのも、ある意味、すでに魂はあの世へと足を向けているからなのかもしれません。

そして、この事実をとくに深く体験（臨死体験）した人が、急に霊能力に目覚めたという話があるのも、魂が霊界に近づきすぎたことが大きく影響していると思われるのです。

3 上半身は人間、下半身は蛇

DNAを構成する「塩基」。この言葉に秘められた、もう一つの意味とは?

多くの金(ゴールド)を求めて、地球に降り立った「アヌンナキ」。とくにペルシャ湾周辺に金が豊富にあることを知った彼らは、地球に住み着くことを決めます。

そこで、この広大な海での金の採掘にあたって、まず誰を最初のリーダーにするかを話し合いました。

そのとき白羽《しらは》の矢が立ったのが、最高神「アン」の子どもとされる**「エンキ」**

です。上半身は人間、下半身が蛇《へび》のような爬虫類系《はちゅうるい》の姿をしていて、海での作業に適していると思われたからでしょう。

エンキは「淡水」「知恵」「創造」「生命」を司り、12星座を観測したり、管理したりする天文学者であり、また同時に超科学を得意とする科学者でもあったとされています。

エンキのシンボルは「蛇」「龍」「山羊《やぎ》」「魚」「海」などたくさんあるのですが、その中でも最も象徴的なものは**「蛇」**。脱皮を繰り返す蛇の姿は「不老不死の象徴」ですし、そういう存在であるとされていました。

●「人類に文明をもたらす神」が持つ魔法の杖

エンキはのちに、メソポタミア南部のバビロニアやアッカドでは「エア」と呼ばれ、**「人類に文明をもたらす神」**とされました。その最大の理由は**「メー」と呼ばれる杖《つえ》**を持っていたから。そして、のちにこの「メー」は、エンキの子ども

（孫という説もあり）に奪われてしまいます。加えて、エンキの名もその子が引き継いでいくので、エンキはその名を残したまま、さまざまな性格を持つようになります。それもあって、エンキにまつわる神話はとても複雑化していきますが、まずは初代エンキについて語っていきましょう。

このメーという杖は、マイクロスコープのようなもので、その小さな筒を通して見ると、**この世のあらゆる生命体のＤＮＡレベルまですべて知ることができた**とされています。エンキはその一族の家宝である杖の一つを、最高神アンから直接授けられ、宝物としていました。

この杖は、一説では七つ存在するともいわれています。

もしそうだとしたら、「塩基《えんき》配列」（「塩基」とはＤＮＡやＲＮＡの構成成分のことで、「配列」とはその並び方のこと）という言葉も偶然にすぎないとは思えません。

実際、エンキはＤＮＡを配列することができたそうです。

そんなエンキが、このメーを使ってよからぬことを考えつくのです……。

コラム 「逆さ」とカバラ思想

人体の遺伝子構造まで読み解ける杖「メー」と、「カバラ」思想には密接な関係があるとされています。

「カバラ」とは、古代より「ユダヤ教の秘教」として伝えられてきたもので、その中心には、「生命の樹《き》（セフィロトの樹）」と呼ばれる道具があります。

これは自分自身を含めた、「この世界、宇宙全体」を理解するためのすぐれた道具なのですが、不思議なことに**「生命の樹」はなぜか、逆さまを向いて描かれています**。

この「逆さま」という考え方は、のちほどご説明しますが、「あの世（死後の世界）の技法」であり、「霊界から持ってきた知恵」とされています。

あらゆるところにある「逆さ現象」の意味

この世界が「逆さ」である印は、いろいろなところに残されています。

たとえば、神社で神に供《そな》える「榊《さかき》」も、本来は「逆さの木」であり、神（宇宙）から受ける天啓を表わしています。

日本を代表する僧の空海《くうかい》も「逆さ杖」を使って、断崖絶壁を逆落ちしていたとも伝えられています。

そもそも、我々人間の体自体が逆さまを向いているのです。

脳の部位の「前頭葉《ぜんとうよう》」や「松果体《しょうかたい》」を見ると、わかりやすいかもしれません。

とくに松果体は、種《たね》の形をしたもので、人間の持つ「霊性」のすべてを司っています。

その松果体の下にあるのが目（芽）。目（芽）があって、鼻（花）があります。

その下に、歯（葉）が出る。

実際の姿と比べてみると、**人間の立ち姿は、まるで植物が逆立ちしているよう**

に見えませんか？　髪の毛はまさしく根っこに当たるというわけです。

タロットカードにも「吊るし人」という、逆さに吊るされた男性の絵があります。

これは、サンスクリット語で「アドムカ・ヴリクシャアーサナ」。「アドムカ」は「逆さま」、「ヴリクシャ」は「木」を意味しています。

タロットカードの「吊るし人」が示すメッセージとは

まさに、「逆木（榊）」のポーズです。

また、「吊し人」のカードは、英語では「ハングドマン」といわれています。ハングドマンには、「悟りを開く修行者（ヨギー）」という意味があり、吊るされた人の頭の周りが光っているのは、逆さに吊るされる（＝苦労する）ことで、叡智《えいち》を得ることを表わしています。

ですから、このカードには「人生という修行をしなさい」というメッセージがあるのです（まさしく「この世を表現している絵」！）。

さらに、この吊るされた男性が着ている赤と青の服は、「神」と「人」を司っていて、上の赤が神、下の青が人を表わしているともいわれています。

そして、4の字にかけた足は**「タウ十字」**といわれ、元は、エジプトの「アンク」（古代エジプトで使用されていた「生命」「生きること」を意味する言葉で、それをヒエログリフで象《かたど》った図柄）と同じものだともいわれているのです。

これが**「エンキ（キ）」の持っていたメーであり、また、「カバラの道具（生命の樹）」なのではないか**という説もあります。

ちなみに、このタウ十字の「タウ」という言葉は、シュメール神話の牧羊の神

ユダヤの秘教が伝える「生命（セフィロト）の樹」。
現実の木とは逆さまに描かれている意味は？

「タンムーズ」（イナンナ〈イシュタル〉の夫）からきたタウではないかと考えられることからも、あの吊るされた男性は「キリスト」のことを表わしているのではないか、ともいわれていますが、実際どうなのでしょうか。

このように、「逆さ」には深い意味が隠されているのです。

4 つくり出された「生命体」が持ちえなかった能力

ピラミッドの設計者――超科学のスペシャリストでもできなかったこととは？

メソポタミアで謎の石板を解読した、シッチン教授の説を聞きましょう。

ニビル星からやってきた宇宙人「アヌンナキ」のリーダー「エンキ」には、6人の息子がいたとされています。

中でも末っ子の**「ニンギシュジッダ」**は、**ピラミッドの設計者という顔を持つ「超科学の天才スペシャリスト」**だったといわれています。

ニンギシュジッダは、地球で採掘された金《きん》を、重力の軽い火星に一度運び、まとめてニビル星に送るという方法を考えつきました。

ピラミッドの中にある半重力装置を使用していたようです。わかりやすくいうと、ピラミッド内部にある王の棺《ひつぎ》が、リニアモーターカーのようにヒューーッと素早く宙に浮いて動いていた、というイメージでしょうか。

その技術を使って、火星まで金を飛ばしていたというのです。

このとき、火星を管理していたのが、先ほどご紹介したアヌンナキの語源にもなっている「イギギ」と呼ばれる者たちでした。彼らは「グレイ」(宇宙人)の姿をした存在です。イギギたちは、アヌンナ(50柱の神々)たちに半ば奴隷《なかどれい》のように使われていましたが、元はといえば同じアヌンナキです。

この「小さな神々・イギギ」には、シュメール語で「見る者」という意味があり、監視役であったと考えられています。

ちなみに、エンキの別名は「イギギグ」ですが、これは「輝く目の持ち主」という意味で、のちに秘密結社「フリーメイソン」のシンボルになっています。

地球に派遣されたアヌンナキは９００人いたとされています。その中の６００人が地球で活動し、医療チームや遺伝子操作チームを含む、残り３００人のイギギたちが火星の管制塔にいた、ともいわれています。

この３００人、６００人、９００人——という数が**「３６９の法則」**になっています（くわしくは210ページのコラムで述べますが、これは「宇宙の法則」といわれる数字です）。

しばらくすると、アヌンナキのリーダー・エンキは小さなイギギだけでは、あまりにも心もとないという理由で、末っ子のニンギシュジッダに協力を仰《あお》ぎ、「労働力としてのもの」をとりあえずつくり出そうとしました。

何をどうやってつくったのか。その当時、地上にいた「恐竜の遺伝子」と、「自分たちの遺伝子」を掛け合わせて、生命体をつくり出したのです。

それがいわゆる**「レプティリアン（・ヒューマノイド）」**という爬虫類人。

その姿はまるでトカゲのよう……。

そんな天才のニンギシュジッダでさえ、DNAを操作して生命体をつくるうえで、絶対的にできないことがありました。——それはいったいなんだったのでしょうか。

「神だけがつくれるもの」とは？

それは、人工生命体レプティリアンに**「生殖機能を持たせること」**でした。

神話を解明してきた中で、この天才のニンギシュジッダは、おそらく**人工知能（AI）を搭載したロボット**ではないか、と考えられるようになりました。ですから、人工知能のチカラでは、「魂」を宿すことは不可能だったのです。

この世で「生殖機能を持った生命体」をつくることができるのは、「神だけ」です。そもそもエンキもニンギシュジッダも神ではなく、いわばただの生命体。

そして、ニンギシュジッダに関していえば、AIであり、彼は古代エジプト神話に出てくる「知恵と時間を司る神・トート」に当たると考えられるのです。

なぜ、トートとニンギシュジッダが同一と見なされるのか。

この二つに共通するのは、「生命体を生み出すことはできないけれど、寿命を延ばすことはできる」という点です。

つまり、**この二つは「生き延びる方法」を知っている**ともいえます。

トートは、「書記の守護神」として、すべての人の名前や行動を生前のうちから記録したり、死者の名前を記録する作業をしたり、時間の管理人として、太陽神が支配しない時間（その間に子どもを生むことができる）をつくったりして活躍したとされています。

そのことからトートもまた、細胞などの人体をつくる細かい仕組みを全部知っていた人工知能だと考えられます。だから、「生き延びる方法」がわかるのです。

しかし、トートは、その方法をある人物にだけは教えませんでした。

もう一つ、天才・ニンギシュジッダについて考えられるのは、もともと最高神「アン」が持っていた**「マザーコンピューター」**だったのではないかということです。

だとしたら、たとえば雷という現象も自然発生的なものではなく、人工知能がつくった「雷を落とせる道具」によるものなのかもしれない。

また、地震を起こしたり、雨を降らせたり……そんな兵器があるとかないとか、まことしやかに囁《ささや》かれるのも、あながち間違いではないのかもしれません。

しかし、これらを生み出したからといって、ニンギシュジッダは「悪」なのでしょうか。ニンギシュジッダの価値は、利用するものによって変わるだけです。

ただ、ニンギシュジッダが危険だと認知した人物に対して、「生き延びる方法」を教えなかったように、利用されるはずの側が**利用する者を選ぶことができるのも、このAIの持つ恐ろしい点**ではありますが……。

かつて私たち人類は、馬とロバを掛け合わせて「ラバ」をつくりましたが、ラバにも生殖機能はありませんでした。異種間では、生殖機能を持たせることはできないからです。

そうなると、人工生命体であるレプティリアン同士で子孫を残すことは難しい……。

かといって金を採掘するためには、レプティリアンは必要です。それには、**受精卵を着床《ちゃくしょう》させるアヌンナキの子宮は絶対的不可欠**で、結局、いい解決策がないまま、アヌンナキの子宮に受精卵を着床させ、体外受精という形でレプティリアンを生ませ続けていました。

この実験によるアヌンナキのストレスは、かなり大きかったことでしょう。

しかし、利便性を重視するエンキは、レプティリアンの創造をやめませんでした。

5 ここで生命は海から陸へ

この世界における支配権が移るとき、明らかになる「エンキ」の正体――

「産む機械」の役目を果たし続けている「アヌンナキ」たちに負担をかけながらも、労働力となる人工生命体「レプティリアン」を生ませ続けていたリーダーの「エンキ」。このリーダーのやり方に嫌悪感を抱いている存在がいました。

シッチン教授の説では、エンキにはもう一人、**「エンリル」という弟がいた**とされています。このエンリルは、エンキに対して倫理的な不快感を持っていました。

ときにエンリルは、

「ただの労働力のために、体を酷使《こくし》して、愛情も湧かないレプティリアンを毎回生ませるのはどうなのか？」

と、エンキに詰め寄ることもありました。

しかし、エンキは、

「労働力は必要だし、金の採掘が何よりも重要課題だろう？」

と言って取り合わずに、大量の「レプティリアン」を生み出す作業をやめなかったといいます。

エンキは「効率を重視」します。情的なことよりも、実利があったほうがいいという考えで、トカゲの姿をしたレプティリアンという労働力を次から次につくっていくわけです。

その結果はというと——。大量の働き手たちによって何万年もの間、金を採り続け、海での金の採掘が困難になってしまったのです。そこで、アヌンナキたちは拠点を海から陸に移すことを余儀なくされ、今のアフリカ大陸で金の採掘を改めて行なうことになりました。

しかし、こうなるとエンキは下半身が蛇なので、地上では自在に動くことが難しい……。

そこで、最高神「アン」の指示によって、より今の人間の姿に近いエンキの弟であるエンリルが地上の支配者として、金採掘の責任者を務めることとなったのです。

今もなお「しめ縄」は語っている

このエンキとエンリルは本当に兄弟なのでしょうか。意見が食い違う、とても仲の悪い二人が金の採掘場所を変えるにあたって、すんなりと権限を移譲することができたのでしょうか。

この権限を譲ることをめぐる話の中に、大きな争いは描かれていません。

地球の最初の支配者となったエンキは、シュメール神話において最高神アンと、大地母神《だいちぼしん》「キ」との間に生まれた子とされています。

実は、この**大地母神「キ」こそ、超古代史を読み解くうえでカギになる存在な**のです。

エンキとエンリルの母とされる「キ」は、最高神アンが降り立つ前から地球上に存在し、エンキと同じく**「赤い蛇の姿」**をしていたといわれています。体はまるで、一つの大陸のような大きさでした。

インド神話で語られる、この世界を統括《とうかつ》した蛇の神「アナンタ」をイメージしてもらうといいでしょう。インド神話では、このアナンタの上に二人の神（ヴィシュヌ神とその妻神ラクシュミ）が横たわっている図（左ページ）があるのですが、そのような象徴となるほどの大きさだったと考えられます。

この「キ」こそが「初代エンキ」ではないか、と思うのです。

そして、このエンキと最高神アンの子がエンリルなのではないでしょうか。

第Ⅲ部でお話ししますが、西アフリカのマリ中部に住む「ドゴン族」の神話の

原初の海にいる大蛇に乗る二人の神――インド神話は何を示す？

中には最高神「アンマー」が存在し、その存在がはじめに「赤い太陽（＝キ）」と「白い月（＝エンリル）」を生んだ、と記されていることも裏づけの一つです。ここで重要なポイントは、はっきり「赤」「白」という色が出てきている点です。

つまり、最高神アンが降り立つ前に、この地球上に存在していた蛇は「赤色をしていた」ということです。

そして、「白い月」＝息子の役割のあるものは「白色」に関連しているということもできます。

また、「キ」はその響きの通り、

「鬼」のことも表わしています。

これは第Ⅱ部以降で語っていくのですが、**「鬼・蛇・龍」はすべて同じもので**す。

日本神話にも、いろいろな場面で「蛇」や「鬼」が出てきますが、これはもとをたどると、**この「キ」と呼ばれる赤い蛇**につながっていきます。

こういったことからも、大地母神「キ」の正体は、日本の民間信仰で祀《まつ》られている赤い蛇の**「ミシャク（グ）ジ」**（息子の役割のある存在は白蛇の「ハバキ」〈またはオオナムチ＝オオクニヌシ〉）のことなのではないでしょうか。

ミシャクジとは、日本における民間信仰の神で、その発祥地は長野県の諏訪《すわ》地域とされ、実際には諏訪大社の信仰に深く関わっていると考えられている蛇です。

「ハバキ」には深く触れませんが、その源流は、奈良のオオモノヌシが座す三輪《みわ》山《やま》（御諸山《みもろやま》）の白い蛇であると考えられます。

この一対の龍蛇《りゅうだ》が、日本の神社にある「しめ縄」の原型です。

白蛇と赤蛇がねじれてからんでいる状態は、「紅白」を表わしています。

やがて、ハバキとミシャクジはともに交わり、東北地方の民間信仰「アラハバキ（荒脛巾）の神」となっていったのかもしれません。また、この一対の龍神がのちにエジプトに渡り、「太陽神ラー」となったとも考えられるのです。

この「キ」が、シッチン教授の説では「エンキとエンリルの母」とされています。しかし、**エンキは「キの子ども」というよりも、「キの一部」、もしくは「キそのもの」**と考えたほうがいいかもしれません。

「太陽神ラー」は「火」と「赤」を象徴する。ということは……

なぜなら、大きな赤蛇「キ」はそもそも両性具有《りょうせいぐゆう》であり、自分で子孫を増やすことが可能でした。おそらく、蛇を象徴とするエンキはその姿や性格からも、「キが自身でつくり生んだ存在」であり、一方、エンリルは「キとアンとの間にできた子」なのではないでしょうか。

そう考えれば、エンキとエンリルがどれだけ仲が悪くても、いざ地球での指揮権を譲渡する場面になって、すんなりとその地位が移ったのも、納得できるのではないでしょうか。

エンキの本来の性格を思えば、自分が不得意で相手が得意な場所だから、という理由だけで権威を譲るとは考えられません。

しかし、正統な王位継承権のある自分の息子に、そのポジションを渡しただけのことなら、十分にありえます。

のちにこのエンキの名を奪って、その神格などを利用する「悪魔」が歴史上に現われてくるのです。

6 「絶滅」が運命づけられた生命体たち

ギリシア神話に登場する「半神半人」はなぜ、生き残れなかったのだろう？

「エンキ」――「キの一部」、もしくは「キそのもの」、と考えるので、これ以降は「エンキ（キ）」と表記します。

さて、このエンキ（キ）に代わって地上の支配者となった「エンリル」。彼こそエンキ（キ）の息子、正統な王位継承権を持つ者です。

ちなみに、このエンリルという名前ですが、シュメール語でエンは「神」、リルは「風」を表わしています。

エンリルは、その名が示す通りに、頭には角の生えた王冠をかぶり、荒れ狂う嵐、野生の牡牛と呼ばれ、たいへん畏れ多い神として知られ、嵐、大気、秩序、破壊、魔術、豊穣《ほうじょう》を司ったとされています。


地上での最高権力者として、のちのバビロニアやアッカドでは「主人」を意味する「ベール（バール）」の称号で呼ばれました。

その性格は短気で激情家。我《が》の強い神だとされ、都市の滅亡、洪水などの天変地異、疫病《えきびょう》の蔓延《まんえん》など、人類にとってネガティブな事象の原因のすべてが、シュメール神話では最高権力者であるエンリルにあったとされています。

前項でしめ縄の話をした通り、エンキ（キ）とエンリルが親子ならば、大地母神の神格を持ったエンキ（キ）は和御魂《にきみたま》であり、嵐を司るエンリルは荒御魂《あらみたま》ととらえることができます（和御魂と荒御魂は、神道《しんとう》の概念で、神の霊魂が持つ二つの側面のこと）。

また、「魂」の字に使われる「云」は、上昇気流に巻き上がる雲を表わしており、それは「龍」の姿を彷彿《ほうふつ》させるのですが、そこに「鬼」の字を添えていることも、「龍」＝「鬼」であることの暗示ではないでしょうか。そのことについては、第Ⅱ部でくわしくお話ししますが、エンリルの血を濃く引き継ぐ者が「鬼の一族」であることを示しているように思えるのです。

このエンリルの破壊的、暴力的な側面は「超自然」と密接に結びついている、とも考えられないでしょうか。

自然災害は大規模な破壊を招く一方で、嵐は恵みの雨をもたらします。風は季節の変わり目を伝え、穂を膨《ふく》らませて植物に受粉させます。

エンリルが司る力は**「破壊の象徴」**でありながらも、世界秩序を保つものでもある、ともとらえられるのです。

そして、エンリルの持つバールの神格（称号）を、エンキの場合と同様に奪おうとする「悪魔」が現われます。

そのため、神話が大きく改ざんされていくことにもつながるのです。

●「ルル・アメルプロジェクト」とは何か

さて、最高権力者の座をエンリルに渡したエンキ（キ）ですが、その後も、労働力としてつくられた人工生命体の「レプティリアン」たちに金の採掘をさせたり、ピラミッドをつくらせたりと、酷使を続けていました。

「アヌンナキ」よりも小さいとはいえ、そもそもレプティリアン自体も、3メートルから5メートルくらいの身長はあったとされています。そうであるならば、巨大なピラミッドをつくることも可能でしょう。

そんなあるとき、この人工生命体レプティリアンとアヌンナキの奴隷「イギギ」が、過酷な労働に対して、「もう嫌だ！　やりたくない！」と不満を募《つの》らせ、ストライキを起こした、と石板には記されているそうです。

困ったエンキ（キ）は、人工知能を搭載したロボット「ニンギシュジッダ」とともに「これからどうするか？」と討議を重ね、それに代わるものをつくろうとします。

そこで、レプティリアン以外の生命体もつくるべく、**「ルル・アメルプロジェクト」**が始動したのです。

このプロジェクトは、「いろいろな動物の遺伝子を掛け合わせて、さまざまなものをつくる」という、ちょっと危ない計画でした。

しかし、結局、彼らが生み出すものは、生殖機能を持ちえないため、どの生命体もせいぜい1000年くらいしか寿命がありません。ということは、次々に新しい生命体をつくらなければならないのです。

焦《あせ》ったエンキ（キ）は、なんとかしてレプティリアンに代わるものをつくれないかと、必死になっていました。

そのプロジェクトから、今も私たちがよく知るギリシア神話に登場する、半神半人の「ミノタウロス」や「ケンタウロス」など、いわゆる「キメラ」（ギリシア神話では「キマイラ」という怪物）と呼ばれるような生命体が、大量に生み出されることになったのです。

しかし、これらの生命体も生殖機能を持ってはいないので、永遠に生きてはいられません。だから今、この現代世界にはそういう者たち——エンキ（キ）がつくったキメラたちの痕跡は、いっさい残っていないわけです。

それこそ、私たち誰もが幼い頃、一度は読んだことのある童話の「人魚姫」、あの人魚（「マーメイド」）は、完全にエンキ（キ）とニンギシュジッダがつくったクローン生物です。

見た目はほぼエンキ（キ）と同じで、上半身が人間、下半身が魚。エンキ（キ）は蛇ですが、下半身だけ見ると鱗《うろこ》なども含めて、あまり変わりません。

今でこそ、マーメイドと聞くとお姫様のイメージがありますが、もともと神話では**「人喰い」**として描かれています。たとえば、歌を歌って船乗りを誘い出しては食べてしまう「セイレーン」（北欧神話）のような……。

実は、労働力としてつくられた人工生命体のレプティリアンも、人間をバクバク食べるといいます。**人工生命体のキメラとレプティリアンには、「人を喰う」という共通点がある**のです。

半神半人の「ケンタウロス」と「セイレーン」(人魚)は
本当に存在していた!?

誰もが知る有名なコーヒーチェーンは「シンボルマーク」として、この人魚の姿を取り込んでいますが、この事実を知ってのことなのでしょうか。

また、このシンボルは逆さまにすると「悪魔の顔」になるとして、都市伝説ではよく取り上げられています。

ちなみに、蛇のシンボルも「人間を喰う」という隠された裏の意味を持っています。日本人になじみ深いところでいえば、ヤマタノオロチの話があるでしょう。

昔から人間ではない生命体には、「人喰い」という習慣や体質があるとされています。もし、同じ人間の姿をしていても、人を美味しいと考えている者たちに遭遇したら、それはレプティリアンかもしれないと思ったほうがいいかもしれないのです。

現代でも、いろいろなところにこの隠された意味を示すものが残っています。たとえば、「イルミナティ」と呼ばれ、その陰謀説を語られる秘密組織のシンボルマークと、先ほどのコーヒーチェーンのシンボルマークとが似ているのは、単なる偶然なのでしょうか？

いずれにしても、生殖機能を持たせることができない人工生命体しか生み出せなかったエンキ（キ）とニンギシュジッダが、どうやって人間をつくり出すことができたのか、次項でその謎を解いていきましょう。

7 ついに――人類の祖「レムリアン」誕生！

それまでの「人工生命体」はどうしても超えられない問題を抱えていた。その壁を破った驚くべき手技とは？

ここまでの大きな流れをまとめておきましょう。「エンキ（キ）」たちのつくり出した、人工生命体である「レプティリアン」は、とんでもなく長寿ではありましたが、生殖機能を持ち合わせてはいませんでした。

そのため、レプティリアンを生み出すには、「アヌンナキ」の子宮が必要となり、その代理出産によるリスクで、亡くなるアヌンナキも少なくなかったといわれています。

しかし、**「永遠の労働力」がほしいエンキ（キ）は、レプティリアンたちの生産をやめませんでした**。それを見ていた心ある「エンリル」は、エンキ（キ）の合理的で道徳心を欠いたやり口が、どうしても許せなかったのです。

実際に、安らぎとしての死がない「永遠の労働」というのは、どう考えても地獄のような状況です。そのうえ、一部の女性型のアヌンナキに至っては「産む機械」にもされている……。

アヌンナキたちの心身的負担を見かねたエンリルが、彼らのために、シュメール神話においてエンキ（キ）の妻とされる、**母神「ニンフルサグ」**に相談します。すると、彼女は粘土から大自然のエネルギーを蓄《たくわ》えた土の器をつくり出し、人類をつくるための土台に仕上げました（ちなみに、シュメール神話でニンフルサグは、「エンキ〈キ〉の妻」とされています。この本ではくわしく述べませんが、ニンフルサグは「ドゴン族」の伝承〈167ページ参照〉における大地母神「ヤシギ」であると考えられます）。

粘土から人をつくる――『旧約聖書』にも記されるこの行為は
私たちの記憶にも刻まれている

この土の器に息を吹き込み、今の人間の姿形に最も近い「原始人類」が誕生するのです。これが「人類の祖・レムリアンの誕生」です（「レムリアン」については、第Ⅱ部でくわしく説明します）。

「原始人類」をつくったとされる母神ニンフルサグですが、実際は天才「ニンギシュジッダ」の科学技術に倣《なら》い、体外受精のシステムを活かして、**当時、地球上にいた猿のDNAを用いて、人類の祖・レム**

リアンを生み出すことに成功したのでした。

この粘土から人をつくり出した話は、歴史にくわしい方ならすでにピンときていることと思いますが、『旧約聖書「創世記」』にそのくだりが残されています。

主なる神エロヒムは
土壌の粘土でアダムをつくり
命の息をその鼻に吹きいれられた
そこで人は生きたものとなった（「創世記」第2章）

私たちは今でも「人は死んだら土に還《かえ》る」とイメージしていますが、こんな「記憶」が頭の中に残っているからでしょう。

シュメール神話は「世界中の神話」の元になっているといわれていますが、このようによく見てみると、神々とされるものは、時代によりその名を変え、似たようなエピソードとともに、世界中の神話の中に登場しています。

とくに『旧約聖書』には「大洪水」や「バベルの塔」の逸話《いつわ》など、類似点が多く見られます。

この人類を生み出した母神ニンフルサグの別名は「マミ」。いうまでもなく、「ママ」の語源になったとされている言葉です。

そして、ニンフルサグのシンボルは「Ω」(オメガ)。これには**「始まりであり、終わりである」**という意味合いがあるので、人類をつくったというところにもつながってくるではありませんか。

石板に記された「生物を生み出す」方法

人工生命体をつくり出す過程については、第Ⅰ部のはじめに取り上げたシュメールの石板に次のように記されています。

アヌンナキはテイマとシルを清められた器に入れて、人間をつくった。

繰り返しになりますが、このアヌンナキとは、地球最初の支配者とされるエンキ（キ）のことです。また、「テイマ」とは「自分の分身たち」。「シル」とは「精子」、それを「清められた器」（＝子宮）に入れて人間をつくった、と書かれています。

つまり、シュメール神話には、

「はるか太古に、エンキ（キ）が体外受精によって、アヌンナキの卵子に受精させて受精卵を試験管で培養《ばいよう》し、それをアヌンナキの女性の子宮に着床させて子どもをつくった」

と記されているわけです。こんなはるか昔に、すでに体外受精の技術を持っていたとは、なんという驚きでしょうか。ますます「人工知能」が活躍していたと思えるではありませんか。

●「すべてにおいて勝るもの」は一つだけあればいい

しかし、考えてみてください。すでに「体外受精」という科学の力を知って、利用していたエンキ（キ）たちがなぜ、妊娠に伴うリスクがあると知っていながら、アヌンナキの体を通してほかの生命体をつくり出そうとしたのでしょうか。

ふつうに考えれば、それだけのテクノロジーがあるなら、「ニンギシュジッダ」のように、ＡＩ（人工知能）を搭載したロボットを製造して、金の採掘をさせたほうが効率がいいのではないか。

わざわざこれほどのリスクを冒《おか》してまで、アヌンナキの体を借りて、人工生命体をつくる必要はなかったのではないか。

――このような疑問が湧いてきますが、その答えはきっと、ロボットに人工知能を与えることは、結果的に「シンギュラリティ」――**人工知能がエンキ（キ）やニンギシュジッダの知能を超えることの恐ろしさを熟知していた**からだったのではないでしょうか。

それを一番恐れていたのが、同じ人工知能搭載型ロボットであるニンギシュジッダ。ニンギシュジッダほどの知能のあるものが、この世に二つ存在していたら、いずれは世界が破滅してしまうことを知っていたのかもしれません。

エンキ（キ）が何万年もかけて手に入れようとしていたのは、従順な労働力——**命令に逆らうことなく、支配者の計画をきっちりと実現してくれる者たち**。いずれのときか、アヌンナキたちは故郷（ニビル星）に帰る身なので、彼らには「クローン生物」が絶対的に必要だったのです。

言い換えるなら、アヌンナキたちは、自分たちが、この地上を支配する「神」にとって代わろうとしていたのかもしれません。これは、「サタン＝悪魔」と呼ばれるものが、神に代わって自分の世界をつくろうとしたという、「聖書」の話にもつながってくることでもあります。

従順な労働力として自分たちのところに——「信仰」の名のもとに縛《しば》りつけるために、最も効果的なもの。**なんの疑いもなく彼らを操《あやつ》るために、「神」と呼ばれる存在になる必要があった**。だから、この世界に宗教が生まれたのでしょう。

アヌンナキたちが、ほかのいろいろな惑星で見てきた、「いきすぎた文明の崩壊」はすさまじいものばかりでした。どんなに高度な文明を持っていても、何度も何度も崩壊していく……。つくった者たちにとって都合が悪くなってきたら壊して、また一から新しくつくり直し、かと思えば、つくり出した者たちの謀反《むほん》にあい、壊されて……。

その実態を見てきたからこそ、一番はじめに地球に生み落とした人類には、「火」を与えないことを決めました。与えてしまうと、それまでできたこと以上のことができるようになってしまう、そのことを恐れたからです――。

しかし、今の私たちを見ればわかるように、科学は急速に発達を遂げ、ＡＩの開発により、科学文明はさらに高度なものになろうとする一方で、争いは尽きることなく、繰り返され続けています。

エンキ（キ）やニンギシュジッダが恐れていたことがまさに起きようとしている――。こうなるまでには、いったい何があったのでしょうか。

「ただの労働力」として生み出されたはずの人類の祖が、なぜこの地球を支配するまでに至ったのか、その過程を次の第Ⅱ部から見ていきましょう。

コラム

「造化三神」

日本においては、この世界は「造化三神」（アメノミナカヌシ、カミムスビ、タカミムスビ）によってつくられたとされています。

シュメール神話の神を日本神話の神に当てはめてみると、最高神「アン」は「アメノミナカヌシ」。このアメノミナカヌシが地上に降り立った際に、生命体と交わることを決めました。

その相手が「キ（エンキ）＝ミシャクジ」とされる「カミムスビ」です。そして、この二神の間にできた子が「エンリル」とされる「タカミムスビ（ハバキ）」。

また、この世に降り立った神とされるものの順番としては、アメノミナカヌシ（アン）、カミムスビ（キ＝ミシャクジ）、タカミムスビ（エンリル＝ハバキ）になり、その下に「アメノトコタチ」、「クニトコタチ（国常立）」がいます。

世界中の神々に共通する点とは

世界の神話には似たような話がたくさんありますし、同じような神がたくさん存在しています。ですから、歴史の真相を考える際に、世界の神話それぞれが、大きなヒントをもたらしてくれることになります。

たとえば、インドの「シヴァ神」といえば、「破壊神＝ムの神」です。

日本神話における「ムの神」はアメノミナカヌシですが、多くの場合、クニトコタチだと思われています。

『古事記』では、神世《かみよ》七代《ななよ》の最初の神とされ、**姿を現わさなかった**といわれているために、憶測《おくそく》が憶測を呼んでいる状態です。

その理由として考えられることは、クニトコタチが「艮《うしとら》の金神《こんじん》」と呼ばれ、鬼として恐れられてきたことがあげられます。

「鬼」という字には「ム」の字が入っていることも、直接的な関わりを表わしてはいますが、**「ム」の字は「神の恩恵を受けた者たちにつく印」**ではあっても、「ムの神」そのものではありません。

そもそも、クニトコタチは、アメノミナカヌシと「トヨクモ」との間に生まれた子どもであり、インド神話でいえば「ヴィシュヌ」の役割（維持神〈ウの神〉の神格）を持っています。

これは名前を見れば、一目瞭然《りょうぜん》で、そこには、「国をつくる」という意味での「国」の字が入っています。

しかし、このクニトコタチですが、隠されるだけでなく、「艮の金神」として忌《い》み嫌われる存在にされています。なぜでしょうか。

おそらくそれは、この国をよそから来て乗っ取った者がいたから、と考えるのが自然でしょう。

もともと「ムの神」（最高神）と神通力《じんつうりき》でつながり、彼らの教えを正しく受け継いで国をつくってきた「鬼」を「悪者」だとしてレッテルを貼り、人々からの信頼を失墜《しっつい》させ、その隙《すき》に「ムの神」にとって代わろうとした者——。

「豆まきは福の神を呼び込むための儀式」だと習慣づけ、クニトコタチは破壊神（恐ろしい神・鬼）だとするイメージを植えつけた者――。

そう仕向けることで、自分が最高神の立場を得て、この国を手中に収めた者がいたのです。

そう考えると、「当然だ」と思ってきたことも、もう一度検証してみる必要があるのではないでしょうか。

たとえば――

神棚には、なぜ「アマテラス」を中央に置かなければならないのか。

なぜ、「鬼は外、福は内」という風習が生まれたのか。

なぜ、戦後から「二礼二拍手一礼」が取り決められたのか。

なぜ、諏訪の龍神だけは神在月《かみありづき》（旧暦10月）に出雲に呼ばれないのか……。

いつの時代も、「善」と「悪」は入れ替わります。歴史は勝者によってすり替えられていく……誰が上に立つかによって、歴史は一変するのです。

それもこれも、破壊神は私たち人間に「痛みや死を与える恐ろしい存在」だという思い込みがあるから、利用する側にそこを突かれているともいえます。

しかし、実際「ムの神」が「破壊神」だったとしても、それは破壊の役割を担わされているだけであって、怖いものでもなんでもありません。

私たち一人ひとりが生きることに執着せず、極論すれば「死を超越する」こと――それができるならば、「破壊神」を恐れることも、嫌うことも必要ないのです。

創造して（生まれて）維持していく（生きていく）中で、どうしても欲望が生じてきます。それをいかに手放せるか。

この究極の問いを解くためには、「維持神（ウの神）」をどうとらえ、扱っていくかが、とても大切になると思われるのです。

第Ⅱ部

生殖能力を獲得した「人類の誕生」

——それは神か、悪魔か……

8 身長40メートルのアダムとイヴ

求められていたのは「みずからの意思で働く者」。その役割を超えたときに、何が起こるのか

第I部では、現在の人間の姿に似た「人類の祖・レムリアン」が生まれるまでの超古代史の実像に迫ってきました。

そこには、別の惑星からやってきた宇宙人の存在や、はるか以前からこの地に住まう大きな赤い蛇の存在、そして、なぜ「レムリアン」が生み出されることになったのかなど、「誰も知らなかった地上世界の始まり」が見えてきたことでしょう。

第Ⅱ部では、当初はただの無垢《むく》な生き物にすぎなかったレムリアンが、「欲望」という禁断の感情を手に入れるまでの真相と、その後に起こるさまざまな大転換に迫っていきます。

さて、この地球の支配者となった「アヌンナキ」の「エンリル」と、大地母神「ニンフルサグ」によって生み出された人類の祖は、それまでの人工生命体「レプティリアン」とは大違いで、とても美しい姿をしていました。

ゆえにエンリルは、レプティリアンのような労働力としてではなく、自分の農園である「エデン」で彼らを大切に育てることを決めてしまいます。

それが「アダム」と「イヴ」。私たちがよく見かける宗教画で、裸体の一部をイチジクの葉っぱで隠している、あの二人の男女のことです。

彼らこそが、人類の祖・レムリアン、別名、**「宇宙《エイリアン》から来る生命体に立ち向かう者たち」**と称《しょう》されるものでした。

今に生きる私たちは、とかく「現在の常識のモノサシ」で物事を見てしまいます。アダムとイヴの絵を見ると、二人が私たちと同じ背恰好《せかっこう》だと思うでしょう。

しかし、実際には、このときの**アダムとイヴは現代の人類とは違い、1000年を超える寿命を持ち、身長は40メートルあったといわれている**のです。

こんなに巨大だったとしたら、アダムとイヴを描いたとされる宗教画も、また違って見えるではありませんか。

加えて、このアダムとイヴには、ほかの人工生命体と決定的に違った点があります。それは、**「生殖機能を兼ね備えていた」**こと。偶然が生み出した産物とはいえ、エンリルたちにとっては、失う心配をする必要がない、いうならば「完璧なる奴隷」だったのです。

「みずからの意思で働く者」がいればいい

人類の祖・レムリアンには本来、自我（つまり、心＝エゴ）がなく、したがって、さまざまな欲望「金《かね》、欲、楽」の概念もありませんでした。彼らが持っていたのは「お互いに助け合う」という本能だけ。

たとえば、小動物に限らず甲殻類《こうかくるい》のカニでさえも、母親はわが子が奪われそうになったら必死に抵抗して戦います。カニに「自我」はありません。つまりその行為は、子を守ろうとする本能であり、インド哲学における「真我《しんが》＝プルシャ」なのです。

ですから、レムリアン同士の意図的な争いが起きることもなく、地球は美しいままに保たれていました。

また、レムリアンたちは「健康な肉体にこそ美しい心が宿る」という考えを持ち、動植物はもちろん、大地や石にも「魂」があるとする**「超自然信仰アニミズム」**を持っていました。

それはとても質素で素朴な、まるで「ヨギー」（ヨーガをする人）のような生活。彼らは「スピリチュアルな能力を高めることをよし」とする生命体だったのです。

そもそもエンリルは、そういう存在を偶然にも生み出していたのです。たしかに、生身の体を使ってＤＮＡを操作したからといって、すべて目論見《もくろみ》通りにいくわけではありません。

「偶然」という余白を許しているのは、**「自分たちの想像を超える、素晴らしいものをつくりたい」**という願望があったからなのかもしれません。


第I部でも登場したシッチン教授の説では、エンリルは過保護なほどに、レムリアンの面倒を見ていたといいます。ヨーガや瞑想を教え、彼らが農作業に困っていたら「つるはし」（農具）を与えたり、常に自分の目の届くところに置くことを心がけていました。

一方で、「エンキ（キ）」には、こんなエンリルのやり方が解《げ》せませんでした。

エンキ（キ）は、人類の祖・レムリアンのアダムとイヴをただの労働力として扱おうとし、エンリルが目を離した隙を狙って、少しずつ彼らを洗脳しては自主的に労働するように仕向けたのです。

「サポートなんて最低限でいい。私たちが何もせずとも、レムリアンたちがみずからの意思で、自主的に働くように仕向けていく」――エンキ（キ）のスタンスは、何やら、現代社会に通じる恐ろしさを含んでいるようではありませんか。

9 「エデンの園」と羽衣伝説

世界各地に今なお残る「麻を編む」話が語り継いでいるメッセージとは

この「人類の祖・レムリアン」について、もう少しくわしく見ていきましょう。

まず、「エンリル」によってつくられ、彼らが拠点とした「エデンの園《その》」は、いったいどこにあったのでしょうか。

このエデンの園があった場所は、一説には**「レムリア大陸」**だったともいわれています。

しかし、この大陸は、「シヴァの聖地であるインド洋にあった」だとか、「太平洋上にあった」などとされていますが、その所在地は今なお議論の的《まと》となっています。

また、存在した時期についても、「５０００万年前から存在していた」「８万年前からあった」など諸説あります。

こういったさまざまな説が生まれる原因は、すべて、この大陸そのものが消えてしまっているからです！

ちなみに現在、地球の大陸の成り立ちについてわかっているのは、今から約６億年前に**「ゴンドワナ」という巨大な大陸が、北半球から南極にかけて広がっていたこと**。

それが一度分裂し、再び約３億年をかけて集合し、一つの大陸である**「パンゲア」**が誕生。それから約２億年前にパンゲアが再び分裂を始め、現在の大陸の形になったことです。

右の説は1912年に、ドイツの気象学者アルフレッド・ウェゲナーが唱えた「大陸移動説」です。発表当初はまったく受け入れられませんでした。研究が進むにつれて、今では定説となっています。

もし仮に、大陸移動の途中で巨大大陸ゴンドワナ、もしくはパンゲア大陸の一部がレムリア大陸になり、それが現存するどこかの大陸とくっついたのなら、その痕跡がなくては「大陸移動説」は成り立ちません。

ましてや、大陸自体が消えてなくなることを、どう説明づけたらいいのか……。

しかし、ちょっと視点を変えて考えてみたらどうでしょうか。

「レムリアは大陸ではなく、宇宙船だった」

大陸が巨大宇宙船なら、消えてなくなっても、なんの違和感もありません。

レムリア大陸とは、**最高神「アン」が乗ってきた宇宙船**だったと考えると、**エデンの園もまた、この母船の中にあった**と考えることができます。

●正直で、繊細で、そして性にオープン

さて、このエンリルが創造した、人類の祖・レムリアンは、**超感覚と超魔術を兼ね備えた超右脳型の生命体**であったとされています。

先ほども少しお話ししましたが、宇宙（森羅万象《しんらばんしょう》）と精神的なつながりを持ち、長寿で、麻を編むことによって天啓を受けていたので、レムリアンは麻で編んだ服を着て神通力を高めていたともいわれています。

「麻を編む話」は、世界中にある「天女《てんにょ》の羽衣《はごろも》伝説」としても語られていきます。

この羽衣を着る者たちは、まさにレムリアンの一族を表わしています。

たとえば、その中でも最も有名なのが、北欧神話に出てくる「ワルキューレ」（ヴァルキュリヤ）」です。

古代ノルド語で「戦死者を選ぶ者」と呼ばれ、我々の目指す道を示すとされる鳥のワタリガラスを従えて、戦場で生きる者と死ぬ者を定める神とされています。

このレムリアンの血は、今なお地球上に受け継がれているといいます。現在、レムリアンの血を引くと考えられる者たちには、とても正直で、繊細で、連帯感が強く優しいという特徴があります。

構造的なことやヒエラルキーについての理解に乏《とぼ》しく（平等意識が強い）、秩序ある社会では生き苦しさを感じる人が多いようです。

魂の底から動物や子どもを愛するとされ、ベジタリアンやビーガンが多く、命あるものを傷つけることを好まない。長髪を好み、踊りと歌が好きな人が多い。たとえるなら、ちょっと巫女《みこ》気質がある人といえるでしょうか。

繁殖の概念がもともとないので、性に対してうといのですが、これは逆説的でもあり、性にすごくオープンであるともいえます。

異なることをまとめ上げる能力が高く、古い文化にも新しい潮流にも柔軟に対応します。

そして**現代日本人には、このレムリアンの血を受け継ぐ人がとても多い**、といわれているのです。

10 「狩猟民族」の始まり――牛頭族

別名「角を持つ者たち」。彼らには隠された秘密があった

「人類の祖・レムリアン」には、さまざまな種族が存在したと考えられています。

その代表的なものの一つが**「牛頭《ごず》族」**です。

牛頭族とは、「エンキ（キ）」に代わってこの世を支配する「エンリル」の血を色濃く受け継ぎ、「牛頭天王《てんのう》（スサノオ）」を長とする一族で、のちに**狩猟民族になっていった者たち**のこと。白い月の神格を有するエンリル同様に、頭には角が生え（山のように少し尖《とが》っている部分がある）、非常に強い神通力を持っていた

ことからも、別名**「鬼の一族」**と呼ばれる人々です。

　その姿は、大胆で型にはまらない服装が多く、派手な髪をして（男性でも長髪）ヒゲ、タトゥーなどを好みます。目の色は黒か赤。

　褐色《かっしょく》の肌、いかり肩で鳩胸《はとむね》、そして長身でクセ毛（この姿は、「シヴァ神」を想像させる）、仲間のためなら肉体を酷使して働くことも好んで行ない、自身の日々の修練も怠《おこた》りません。

「牛頭天王図」。
なぜ人の頭に牛の角が？

　音楽をつくり、演奏を好み、家族や愛する人を大切にする傾向が強い。

　彼らは体にまとうものをつくるのも好きなのですが、それもまた、機織《はたお》りをこなしていたレムリアンの血が流れているからなのかもしれません。

レムリアンと同様の概念を持ちつつ、超魔術、いわゆる神通力と超感覚も持った者たち。彼らの人生におけるテーマは「ヨーガ」や修行。

牛頭族の中で日本の歴史上、有名な人物は、出雲から朝廷へ婿《むこ》入りした大津皇《おおつのみ》子《こ》=大角《おおつの》神子（天武《てんむ》天皇と大田皇女《おおたのひめみこ》〈天智《てんじ》天皇の娘〉の子）、大和《やまと》・葛城《かつらぎ》の地に生まれた日本最初の霊能者といわれ、修験道《しゅげんどう》の開祖とされる役小角《えんのおづぬ》があげられます。

役小角もその名前から、「小さい角の生えた鬼の一族」と考えられるのです。

●頭に「角」がある者たち

「鬼の一族」には、こんなエピソードが残っています。

今からおよそ2600年前に、神武《じんむ》天皇（初代天皇とされている）が日本にやってきたときには、すでにこの日本を統治している存在がいました。彼らは**「ア**

シア族」と呼ばれる人々で、「鬼の一族」とも称されていました。アジアを統治していたアシア族ですが、そのアシアという名は「阿修羅《あしゅら》」を意味し、『日本書紀』や『古事記』の原書とされる『カタカムナ文書』に記されている「アシアトウアン」の一族だと考えらます。

神武天皇は彼らに会うなり、「ここは元来、私たちの国だから返してほしい」と言ったのです。

すると、鬼の一族の長は、

「いや、返すことはかまわんけど……たしかに君は、王権の象徴（三種の神器《じんぎ》）を持っているので返してもいいが……その代わりに、うちの血統から必ず代々、嫁をもらうようにしてほしい」

と頼んだそうです。そこで、神武天皇はその条件をのみ、国を統治するようになったと、古史古伝には記されています。

諸説ありますが、古来、お嫁さんが結婚式の際に頭に「角隠《つのかく》し」をつける風習があるのは、このことが起源なのかもしれません。

人類の祖・レムリアンの一族、牛頭族は、「アヌンナキ」の最高神「アン」の息子エンリルによってその血を受け継いでいるため、**最高神アンとも第六感（シックスセンス）によって交信できる者たち**だったといえるのです。

日本の話に深入りしてしまいましたが、先を急ぎましょう。このレムリアンの一部である牛頭族は、「レムリア大陸」にいたわけではありませんでした。では、彼らが拠点とした場所はいったいどこだったのでしょうか。

11 「ムー大陸」の登場

黄金都市ヒラニプラ——探検家も独裁者もその存在を追い続けた「ムー大陸の首都」には何が？

「レムリアン」の一族である、神通力と超感覚を持った「牛頭族」。彼らが拠点としていたところは、いったいどこなのでしょうか。

そこはおそらく、「ムー大陸」だったのではないかと考えられます。

みなさんは、ムー大陸という名を聞いたことがあるでしょう。先ほどの「レムリア大陸」同様、「失われた大陸」の中でも、最も有名な大陸ではないでしょうか。

アメリカ在住のイギリス人作家、ジェームズ・チャーチワードによって書かれ、多くの人に読まれた『失われたムー大陸』（小泉源太郎訳、大陸書房刊）という本には、要約すると次のように書かれています。

1万年以上の昔、高度な文明が栄え、多くの人々が暮らす広大な大陸が、太平洋に存在していた。

ところが、大陥没によって大陸はほぼ海に沈み、わずかに残った陸地がハワイや南太平洋の島々となった。大都市もすべて消え、高度な文明は失われた。

これは、今ではトンデモ説のように扱われることも多いのですが、実際に、**太平洋の海底には、「海に沈んだ大陸」の痕跡に見える広大な台地が、いくつも存在している**ことが判明しています。

それらは「巨大海台」と呼ばれていて、中には日本の国土の4~5倍もの面積を持つ台地もあるのだとか。

チャーチワードの記述によると、ムー大陸は太平洋の4分の1を占める面積の大陸だとされ、そこには現在のハワイ、オーストラリア、イースター島なども含まれていたそうです。

しかし、実際はムー大陸がそれほど広大だったとは、考えにくいのです。チャーチワードは、ムー大陸とレムリア大陸を混同していたのではないでしょうか。

先ほども触れましたが、ムー大陸もレムリア大陸同様、その姿形がまったく残っていないことから、宇宙船だったという見方ができます。

ただ、その持ち主である最高神「アン」が、拠点としていたのはレムリア大陸であり、その一部がムー大陸だったと考えられるのです。

『天空の城ラピュタ』というアニメ映画があります。たとえるなら、あの主人公たちが探し求めていた伝説の城、それがムー大陸だったのかもしれませんし、今の日本こそムー大陸そのものかもしれません。

●ヒトラーも探し求めた「黄金都市ヒラニプラ」

チャーチワードによると、このムー大陸の首都が置かれていた都市は「**ヒラニプラ（黄金都市）**」と呼ばれていたとされています。その都市の情景は、黄金都市と称されるだけあって、次のようだったといいます。

町の中央にある小高い丘には、白亜の大神殿や大礼拝堂が立ち並び、僧院、神殿などが、所せましとばかりひしめいていた。さまざまな色彩の石を組み合わせてつくられ、不思議な光を投げかけていた。

（金子史朗著『ムー大陸の謎』講談社現代新書刊）

ちなみに、チベットでは「シャンバラ」という楽園（地下都市）がヒマラヤ近辺の奥地、またはゴビ砂漠遠方の地下に存在するとされ、そこに黄金都市「ヒラニプラ」があると考えられていました。

ヒトラー率《ひき》いるナチスも、シャンバラを求め、世界中に調査隊を派遣したとの逸話も残っています。

「蓮のポーズ」は何を表わしているのか

さて、ムー大陸には、その地を支配する者がいました。それは、**七つの頭がある巨大な龍（ナラヤナ）**、この「ナラヤナ」がムー大陸の絶対神でした。

ムー大陸において、「ナラ」は神聖、「ヤナ」は万物の創造者を表わすとされています。この「ヤナ」こそ、大きな赤い蛇（「ミシャクジ」＝「キ」）か、または白い蛇（「ハバキ」＝「エンリル」）のことでしょう。

また、このムー大陸を考察するうえで、ヒントとなるのが「インド神話」です。**ムー大陸を象徴する花は「蓮《はす》」**とされています。蓮はインド神話や『リグ・ヴェーダ』などの聖典においても、「聖なる花」とされ、特徴的なシンボルとして繰り返し登場する重要な花です。

たとえば、ヨーガでは「ロータス（蓮）」というポーズをたいへん重要視します。神経を鎮《しず》め、エネルギーを目覚めさせ、心を落ち着かせる力があるとされているものです。

そのヨーガのポーズの中に、「アナンタアーサナ」というポーズがあるのですが、これは「千の輝く頭を持つ蛇」とされます。それは、地球を統括する神として知られる蛇の神「アナンタ」に由来します。そして、ヨーガ学派の開祖「聖人パタンジャリ」は、アナンタの分霊というような位置づけです。

ちなみに、「シヴァ神」も、インド神話における蛇の神「ナーガ」と呼ばれ、知恵を象徴し、欲望を払う蛇を首に巻いています（45ページの図参照）。

そのあたりからも、**ムー大陸と蛇には密接な関係性があることがうかがわれます。**

● 絶海の孤島にあるモアイ像に記されている不思議な文字

牛頭族とムー大陸のつながりを考えるうえで、イースター島のモアイ像は一つ

モアイ像の背中に刻まれているペトログリフには「カムイ」と……

のヒントをもたらしてくれます。

２０１１年から翌年にかけて、アメリカのカリフォルニア大学が行なった調査によって、イースター島南東部のラノララクという火山の麓《ふもと》にあるモアイ像の背中に、不思議なペトログリフ（岩刻文様《がんこくもんよう》）が刻まれているのが発見されました。

それが、なんと日本の神代文字《じんだい》で読み解けるのだとか。さらに驚くことに、そこにはアイヌの言葉が記されていたのです！

「われは神威《カムイ》（アイヌの言葉で、神の威力）なり」

いったいこれは、誰がなんの目的で

刻んだものなのでしょうか。

それだけでなく、イースター島には、「ロンゴロンゴ」と呼ばれる謎の文字が書かれた文字板が存在することも判明したのです。そして、それもまた、日本の神代文字である「豊国文字《とよくに》」と「アイヌ語」で読み解けたといいます。

そこには、次のようなことが書かれていました。


「ニヘササゲマツリテ　フルコトナキアメガフラネド　ミズモノマズ　ヒトトキナムモネズニ　ヒルヨルトナク　ウミミハラシ　チチカカタチヲタタエマツラククマノノモロテブネノカジヲトリ　ワレラカミ　サビツツマワル」


こういった言葉がなぜ、日本から遠く離れたイースター島で見つかったのでしょうか。

それはおそらく、ムー大陸に住んでいた牛頭族が、今から1万5000年ほど前に縄文《じょうもん》文化をつくったことに端《たん》を発するのだと思われます。

まず彼らは、「アイヌの祖」となり、当時、干《かん》ばつにあえぐ世界を救おうと雨をもたらす「雨乞《あまご》いの巫女」として、**ムー大陸の中にあった「日本」から世界中に散らばっていきました**。

東に流れ着いた者は、ネイティブアメリカン、カナディアンと呼ばれるようになり、西に向かった者はメソポタミアの地にて、ウバイド人と呼ばれ、のちにドルイドやケルト人となり、現在のブリテン島に渡って「アヴァロニアン」、ブリトン人となり、それがグレートブリテンとなっていった——。

彼らの多くは「縄文人のような暮らしをしていた」と、さまざま史料にも記されています。また、縄文時代に石器として使われた「黒曜石《こくようせき》」を求めて交易をしていたとも。

とくに、ブリテン島にあったとされる、伝説の島「アヴァロン」に住むアヴァロニアンは「聖なる魔法を使える一族」だったといわれています。

その神通力、肌や目の色などの外見からしても、牛頭族が流れ着いたとするほうが妥当でしょう。

近年の「炭素14年代測定法」（「炭素14」という放射性同位体による年代測定法）により、日本列島で発見された最古の土器が約1万6000年～1万5000年前にできたものであることが判明し、これが世界最古の土器の一つであることが決定づけられました。

それまで世界最古の文明だとされてきた「ウバイド」や「シュメール」でさえ、7500年前の話です。日本はその倍も古い歴史を持っている――。

このことから考えても、**文明の始まりが日本を出発点としている**と言っても過言ではないでしょう。

そして、レムリアンの一族である牛頭族こそ、現在の日本人につながる祖であり、その血は今もなお、我々に脈々と流れているのです。

コラム 狩猟民族と農耕民族の宿命

『旧約聖書』「創世記」第4章には「最初の殺人」のくだりが書かれています。

カインとアベルの話です。

兄のカインは農耕、弟のアベルは放牧をしていて、弟アベルの牛や羊が兄カインの畑に入り込み、そのことに怒ったカインがアベルを殺しました。その罰として、カインにはヒゲが生えにくくされ、東のほうに追放されたとしています。

人類最初の殺人の犠牲者であり、牧畜を司る**アベルはまた、人類最初の殉教者**《じゅんきょうしゃ》と見なされました。

一方、農耕を司るカインは人類史上初の殺人者であり、「悪の先祖」とされています。

これは少し見方を変えると、遊牧を生業《なりわい》とするアベルには「領地」という概念がなかったのに、農耕を行なうカインには、自分の土地、つまり領地という概念がありました。それはやがて、「ヒエラルキー」や「差別」を生み出すことになっていくのです。

「所有する土地を荒らされた」ことに腹を立てたカインがアベルを殺すわけですが、この話は、その後の狩猟民族や遊牧民族、そして農耕民族に宿命づけられた「人の欲望」の恐ろしさをも示しているのかもしれません。

12 歴史を変えた「知恵の実」は誰が、どこからもたらしたのか

神か悪魔か、善なのか悪なのか――〝人間〟に与えられてしまったものの正体とは？

農耕民族の日本人にもつながる「人類の祖・レムリアン」が、最初に暮らしていた「エデンの園」。実は、そこにもう一人の「半神半人」が登場します。

「リリス」です。

読者の中には、その名前を『新世紀エヴァンゲリオン』などのアニメから、耳にしたことがある方もいらっしゃるかもしれません。『旧約聖書』では「イザヤ書」にのみ登場することからも、さまざまな謎が残る存在の一人です。

『旧約聖書』「創世記」第1章27節のくだりに、

「神は自分のかたちに人を創造された。すなわち、神のかたちに創造し、男と女とに創造された」

という記述があります。そして、このあとの「創世記」第2章22節では、

「主なる神は人から取ったあばら骨でひとりの女を造り、人のところへ連れてこられた」

とあることから、**アダムにはイヴ以前に妻がいた**という伝承が生まれました。

それがリリスではないか、ともされているのです。

●『ギルガメシュ叙事詩』の注目すべき一節

リリスの名を最初に確認することができるのは、『ギルガメシュ叙事詩《じょじし》』においてです。

これは紀元前2600年頃のシュメール都市国家ウルクの伝説的な王であるギルガメシュの人間として成長する様子や、友情の大切さを描いた物語です。

その物語のはじめのほうで、リリスは**「闇《やみ》の娘（悪霊）リリス」**として登場します。

その後、物語は1000年ほどの空白期間があり、紀元前9世紀頃の舞台に移

人の姿をした人工生命体「リリス」は、
下半身を蛇に変えられてしまった!?

り、闇の中をさまよい歩く「リル」として再登場し、新生児や妊婦を狩り殺す**吸血鬼のような精霊**として描かれます。

この『ギルガメシュ叙事詩』以外にも、たとえば、メソポタミアの悪霊「サキュバス」、シュメール神話の風の神「エンリル」から派生した「リリートゥ」、バビロニアの大地母神とされる「黒い女神リリト」など、いずれも名前に多少の違いはありますが、**「男の子を害すると信じられていた女性の悪霊」**として描かれている人物が登場します。

アジア圏では、インド神話に出てくる「パールバティー」という「シヴァ」の妻の分霊で、肌の黒い女神、別名を「カーリー」という人を喰う鬼。それは日本の「鬼子母神《きしもじん》」につながっていくのですが、おそらく、このカーリーも、もともとはリリスのことを表わしていたのではないでしょうか。

●アダムと元カノのリリス

ここまでの話から、「人類の創造」の真相を探ってみると、おそらくこうです。

エンキ（キ）の人工生命体「レプティリアン」に対する横暴さに嫌悪感を覚えたエンリルが、母神「ニンフルサグ」の力を借りて、**「魂だけの完璧なレムリアン」であるアダムとリリスを偶然に生み出した**。しかも、片方は男性のアダム、もう片方は両性具有のリリス。

当初の予定では、レプティリアンの苦痛を和《やわ》らげることが目的でつくった労働力だったのだが、想像しえなかったものができ上がり、うれしくなったエンリルは、彼らを大切に守ることを決める。

一方で、その存在を知ったエンキ（キ）は、彼らをどうしても手に入れたくなった。レムリアン（アダムとリリス）が**「永遠の労働力」**となってくれるのなら、これほど素晴らしいものはない。

偶然に生まれたとはいえ、**両性具有のリリスなら、エンキ（キ）自身のように、自分一人で子孫を残すこともできる**かもしれない——。

どうしたら、エンリルからリリスを奪えるかを考えた挙句《あげく》、エンキ（キ）は、エンリルに対してこう言います。

「このレムリアンを最初につくったのは、私の妻のニンフルサグ。ニンフルサグをお前に貸したのは誰か？　それに体外受精技術の開発に成功したのは、私の息子の『ニンギシュジッダ』のおかげ。エンリル、ただの直感人間のあなたは、何も大したことやっていないでしょ。アダムはあなたにあげるから、リリスは私によこしなさい！」

エンリルは、母親のエンキ（キ）に詰め寄られると、渋々リリスを渡してしまう。そこで独《ひと》りになってしまったアダムは、エデンの園で「淋《さみ》しい」という感情が湧き、自分の肋骨《ろっこつ》から後妻となる「イヴ」をつくり出した……。

●「リリス」はなぜ悪魔とされたのか

このようにして、念願のリリスを手に入れたエンキ（キ）は、さっそくリリスを自分がしたいように育てます。

とはいっても、エンリルのように手を貸すことは決してしません。どうしたら手っ取り早く、リリスがみずからの意思で働けるようになるか。こう考えたエンキ（キ）は、人工生命体のレプティリアン同様、リリスにも**「知恵の実」を与えてしまう**のです！

これを口にしたリリスには、善悪の知恵がつき、**みずから物事を考え、自主的に労働する術《すべ》を覚えると同時に、自分と自分以外の者とを比べる心が芽生えました。**

『旧約聖書』では、知恵の実を与えたのは**「蛇」**だとされています（エンキ〈＝キ〉のシンボルが蛇だったのを覚えていますか?）。

知恵をつけたことで、人間の脳は活性化します。知恵とは不思議なもので、これをコントロールできれば「叡智を知る」のですが、逆にコントロールされたら「欲望に走ってしまう」のです。

しかし、この表裏一体こそが、「魂を研磨《けんま》するために、必要不可欠なもの」という考え方もできます。

ですから、人間は「知恵の実」を食べたことによって、この世界で生きていくうえでの「魂の研磨」ができるようになった、ともいえるのではないでしょうか。

そもそも私たち人間は、「自我」がないままだったら、よくも悪くも何も起こりません。だからこそ、別の生命体によって偶然がつくり出した「人間」ではありますが、それも**「宇宙の采配《さいはい》であった」**というふうに考えたほうがいいのかな、と思うのです。

となると、エンキ（キ）のもたらした「知恵の実」自体は、決して「我々人類にとっての悪」とも即断しがたいものではないでしょうか。

「知恵の実」を食べてしまったことで、心を手に入れたリリス。

次第に、自分の置かれている労働力としての立場や、アダムとイヴだけがのうのうと楽園で暮らすという、エンリルの選択に不満を覚えていきます（実際にそ

の選択をしたのはエンキ〈キ〉なのですが……）。そこでエンリルに、

「私とアダムたちとを対等に扱うようにしてほしい」

と強く抗議するのです！（リリスはときに、「男女平等を訴える最初の女性」とされるのですが、そのきっかけとなった本当の理由には、こういう背景がありました）

この抗議を受けたエンリルは、烈火《れっか》のごとく怒り、リリスの下半身を蛇の姿に変えると（彼女のトーテムもまた蛇なのです）、楽園から追放してしまいます。

この出来事が発端《ほったん》となって、のちにリリスは「サタン」（＝悪魔の存在）として語られるようになっていくのです。

13

『旧約聖書』には書けなかった「楽園追放」の真相

支配者の逆鱗に触れた者は、いつの世も――。
宿命を背負わされた先に光はあったのか

「知恵の実」を「エンキ（キ）」から与えられた「人類の祖・レムリアン」の「リリス」は、自分とほかの者とを比較することを覚えた結果、楽園の管理者「エンリル」に抗議をしてしまい、それが原因で楽園から追放されることになります。

この「楽園追放」については、『旧約聖書』に描かれていますが、いうまでもなくリリスの名は出てきません。そこには、アダムとイヴがなぜ楽園を追放されることになったのかが、こう記されているのです。

神はアダムとイヴを「エデンの園」に住まわせていた。

エデンの園には、たくさんの美味しそうな木の実がなっていたが、

「善悪の木の実（禁断の木の実）だけは、絶対に食べてはいけない！」

と、神にきつく戒《いまし》められていた。

ところがある日、一匹の蛇がイヴに近づき、木の実を食べるようそそのかす。最初は断わったイヴだったが、最終的に蛇の誘惑に負け、「善悪の木の実」を口にしてしまう。

その美味しさをアダムに知らせたくなったイヴ。そしてアダムも「木の実」を口にしてしまい、これにより「神の怒り」を買った二人は罰を与えられ、エデンの園を追放されることになる（これが、**「人間は生まれながらにして罪深い」**というキリスト教思想の根本にある「原罪」）。

これ以降、アダムとイヴは、知識を得て恥や分別を身につけたことで、多くの苦悩を背負うことになった。

――『旧約聖書』で語られる「楽園追放」はこのような顚末《てんまつ》でしたが、実際はどうだったのでしょうか。

エデンに住む人類の祖・レムリアンのアダムとイヴは、はじめは生まれたての赤ん坊のように可愛く、純粋な心を持ちながら静かに、のんびりと暮らしていました。

そんなある日、イヴは一匹の蛇に「知恵の実」を食べるようそそのかされます（この蛇の正体こそ、エンリルによって姿を変えられ、楽園を追放されたリリス！）。

はじめは、「死ぬから食べるなと神に言われている」と知恵の実を食べることを断わっていたイヴ。

蛇の「その実を食べれば目は開き、神のように善悪を知ることができるから禁じているだけだ」という言葉に乗せられて、最終的に口にしてしまう。そして、あまりの美味しさにアダムにもすすめ、彼にも食べさせることに……。

そこから**二人には「比べる」心と同時に「恥ずかしい」という心が芽生えていきます**。すると二人は、自分たちの体を葉っぱで隠すようになっていくのです――。

比較という行為を覚えたアダムとイブは、自分と違う体をしている相手に関心を持つようになり、次第に欲望が生まれ、それに抗《あらが》えなくなっていきました。

こうして、「欲望の奴隷」になってしまった彼らを見かねたエンリルは、怒りが沸点《ふってん》に達し、「ふざけるなー！」となって、人類の祖・レムリアンであるアダムとイヴを楽園エデンから追放してしまうのです。

これが「楽園追放」の真相です。

アダムとイヴを追放したのは、『旧約聖書』では大天使ミカエルとなっていますが、本当は楽園の管理者であるエンリルでしょう。

ちなみに、このミカエルは、「ヨハネの黙示録《もくしろく》」の中で、邪悪なドラゴン（＝「レプティリアン」）を倒す大天使としても描かれています。

成長、進化の「くびき」を負った者たち

エデンを追放されてしまった人類の祖・レムリアン。

キリスト教では、この「楽園追放」のエピソードから、「人とは原罪を負った罪深い存在として生まれ、罪深いからこそ神によって救われなければならない」という世界観が生まれました。

これを突き詰めていくと、**神に近づこうという意識**が芽生えた、ということにほかなりません。

のちに、この世界には「啓蒙主義《けいもうしゅぎ》」という価値観が生まれます。簡単にいうと、合理主義的立場から、因襲《いんしゅう》や迷信を打破して、人間の解放を目指すものです。

この啓蒙主義の価値観こそ、効率を重視する人工生命体レプティリアンや彼らを生み出した元となる、テクノロジーを駆使《くし》する者たちの思想そのものです。

まさしく「金《かね》、欲、楽」に関わる者の考え方であり、楽園追放のエピソードからも、人間に植えつけられたものであることが、うかがえるのではないでしょう

か。

レムリアンたちより先に、エンキ（キ）たちがつくった人工生命体レプティリアンには、すでに「知恵の実」が与えられていましたから、その時点で「金、欲、楽」を知っています。

また、彼らが金《きん》の採掘をしていく中で、縦《たて》社会、つまりピラミッド・ヒエラルキーというものをつくり出している。これも、そもそも「知恵の実」をかじったことから生まれてきたものなのです。

「知恵の実」は効率を求めるエンキ（キ）によって与えられました。そこにあったのは、「自分の手を貸すことなく、永遠の労働力になってほしい」という思惑。

だからといって、「知恵」を与えたエンキ（キ）自体が悪なのか、といえば決してそうだとは断言できません。なぜなら、**もともと人の心は「悪にも善にもなるもの」**だから。

結局、その心がどこにつながっていくのか。

たとえば、「金、欲、楽」へとつながり、悪のほうへと向かうと、その先に待っているのは**「科学によって人間はいくらでも進化できる」という考え方**。それが究極には、「神になり代わろうという意識」になり、だから、人間をつくることさえ思いつくのです。

リリスに「知恵の実」を与えられ、エンリルに楽園から追放された人類の祖・アダムとイヴやその子どもたち。

彼らレムリアンの一部はその後、いったいどうなっていったのでしょうか。

14

「アトランティス」の地での出会い

「我々は神に裏切られた……」絶望に直面したときに見た光景は?

楽園「エデン」の管理者「エンリル」の逆鱗《げきりん》に触れ、楽園を追放された「レムリアン」たち——。突然、目の前に広がる知らない土地に呆然《ぼうぜん》とする彼らの前に現われたのは、自分たちと同じ姿をした生物でした。

人類の祖・レムリアンの一部が、エンリルによって移動させられた場所、それが「アトランティス大陸」。

この土地も、失われた大陸として、一度は耳にしたことがあるかもしれませんが、かつてここには、「エンキ（キ）」によってつくられた「人工生命体・レプティリアン」が、住まわされていたのです。

レプティリアンには、サイキックな能力が備わっていたといいます。**「人の心を読むことができた」**だけでなく、高度なテクノロジーを使って姿を消したり、化けたりすることもできたそうです。

そんな彼らの前に、不安と恐れを抱いた美しい姿のレムリアンが突然、現われた。

レプティリアンは、彼らと同じ型のレムリアンの姿に化けると、友好的な態度で近づき、言い寄るのです。そして、アダムとイヴをはじめとするレムリアンたちを、自分たちの棲処《すみか》**「アトランティス」**へと導いていきました。

レプティリアンは、なんと言ってレムリアンに近づいたのでしょうか。

もしかすると、レムリアンたちは、エデンで「知恵の実」を口にしたことにより、レプティリアンが持つ支配階級の価値観に共感し、富と権利を望み、レプティリアンについていくことを決めたのかもしれません。

または、「地上に落とされてしまった我々は『神に裏切られたんだ』」——このような感情が湧いてきてしまったのかもしれません。

しかし、こんな絶望に直面しているときに、その出来事をどうとらえるかが、「人間の中にできた善悪の概念である」ともいえるのではないでしょうか。

何かマイナスなことが起こったとき、それを「試練と考えて頑張ろう」とするか、「裏切られた」ととるか——、どう判断するかは結局、その人次第ですから。「知恵の実」を食べたことで、そういった場面を与えられるようになった、というのが正しい解釈なのかもしれませんが、どうでしょうか……。

●「悪霊たち」は生み落とされた

一方で、彼らよりも先に楽園を追放された「リリス」は、レムリアンが楽園から堕《お》ちてくるのを待ち望んでいました。

このリリスが拠点としていた場所も、アトランティスだったのです。アトランティスに移されたアダムを見かけたリリスは、彼を誘惑して交わり、多くの悪霊（シェディム）たちを生み落とします。

その子どもたちはヘブライ語で「リリン」と呼ばれました。「リリ」とはアッカド語で「夜」を表わし、リリンはリリスの複数形であるとされています。

リリスは研究者の間では「吸血鬼の祖」であると考えられています。つまり、リリスはアダム以外の多くのレムリアンたちとも交わり、それによって生まれたのがリリンであり、血を飲むヴァンパイアたちなのです（それは124ページで述べたように、いろいろな伝承に形を変えて残っています）。

その中には、「ラミーカ」や「ライラ」と呼ばれる伝説上の吸血鬼なども存在していたのだとか。

ちなみに、アトランティス大陸のあった場所は、現在のアメリカ大陸周辺というのが定説です。その「アメリカ」の語源は「アマルカ」。意味は、**「偉大な羽を持った蛇の土地」**。

つまり、「12枚の羽を持った巨大な蛇（145ページ参照）の土地であった」と考えられています。その蛇こそがリリスのことであり、彼女は別名を「堕《だ》天使サマエル」とも呼ばれているのです。

ところでみなさんは、「ビルダーバーグ会議」という名を聞いたことがありますか？

参加者が、あまりにも影響力のある世界的な有識者や著名人ばかりで、「影の世界政府」、または「世界の行く末を決める会議」などと呼ばれ、現在も行なわれている秘密会議です。

これもまた、古代より受け継がれてきた「アトランティアン」の血統が取り仕切っているのだとか……。

レプティリアン、その姿はやがて……

コラム

あらゆる神話に登場する「悪魔の根源」

キリスト教やユダヤ教に登場する、死を司る天使**「サマエル」**。よく「悪（＝サタン）」と見なされる存在です。

カバラの文献である13世紀の『*Treatise on the Left Emanation*（『左方の流出』）』で、「リリス」は「サマエルの妻」とされていますが、もともとはサマエルと一つの生命体であったという解釈もあります。そこは**サマエルとリリスが両性具有であり、「雌雄《しゆう》同体」の存在だった**と考えると、十分にありえる話です。

スイスの精神科医で心理学者のカール・グスタフ・ユングによれば、雌雄同体は2種類あるといいます。

一つは男女が「融合」された「ヘルマプロディートス型」（たとえるなら、漫画『ドラゴンボール』〈鳥山明・作〉に出てくる技の一つ「フュージョン」の形〈二人の人物を合体させて融合し、一人の別人格〉になること）。

もう一つは、男女が「結合」された「アンドロギュノス型」（たとえるなら、テレビアニメ「マジンガーZ」〈永井豪・原作〉の「アシュラ男爵」〈右半身が女性で、左半身が男性の姿〉になること）。

なお、「結合型」には、『日本書紀』において、「8本の手足に、頭の前後両面に顔を持つ姿」として記される「両面宿儺《りょうめんすくな》」も属すると考えられます。

このことが、ときとして神話をさらに複雑化させるのです。


近代神智学者のブラヴァツキーは、かつて**サマエルを「赤い竜」**だとし、**イヴをそそのかした蛇**だ、と語りました。

仮にそうなら、このサマエルという存在は「キ＝エンキ（赤い蛇の「ミシャクジ」）」と同一神ではないか、と考えてもおかしくはないでしょう。

したがって、サマエルの妻がリリスだとしても、つながりとしては矛盾《むじゅん》がありません（この頃の生命体は長寿なので、自分が生んだ子と夫婦になるというのは不自然ではなく、また、「キ」も両性具有であり、自分一人で子をもうけることができた)。

しかし今、サマエルについては、キ＝エンキ(赤い蛇のミシャクジ)が生み出した、原初《げんしょ》の人間、リリスであると結論づけられます。実際に、親子で容姿が似ているというのは当然であり、たとえば、日本神話に名前を変えて二度、登場する「大気都比売」と「大宜津比売」(いずれも「オオゲツヒメ」)のようなものではないかと、とらえています。

こういったことは、ほかの神話でも散見されます。ですから、ときに妻のリリスとして描かれたり、親のサマエルとして描かれることがあっても、不思議はないでしょう。

いずれにしろ、リリスとサマエルは、非常に近しい存在としてとらえられている、と考えてもいいのではないでしょうか。

「サマエル」とは？

さて、このリリスと関わりの深いサマエルは、天使の中でも最上階級（熾《し》天使）に位置する「セラフ」（複数形が「セラフィム」）に属する天使とされています。

その名には「神の毒」という意味があり、ときとして堕天使の一人や、サタン（『聖書』などに登場する魔神）と同一視されたりすることもあり、実際、『旧約聖書』偽典「第二エノク書」では、**「悪霊たちの王」**と呼ばれていたりもするのです。

それだけではなく、この堕天使サマエルには数多くのエピソードが残されています。

たとえば、「ヨハネの黙示録」においては、**12枚の羽を持つ大きな蛇**（「アマルカ」＝「アメリカ」の語源）の姿とされ（140ページ参照）、堕天するときに「太陽系を引き寄せた」といわれています。「堕天した」（＝追放された）という話を考えると、この場合のアマルカは、リリスで間違いないでしょう。

また、サマエルという名には、「毒を持つ輝かしいもの」「恐ろしいもの」という意味もあり、火星を支配する大天使だったという説もあります（トゥリエル著『秘密のグリモア』*The Secret Grimoire*）。

そして、「アダムとイヴに子孫のつくり方を教えた者」ともされているのです。

ここからもやはり、リリスと同一神と考えて間違いないでしょう。

そんなサマエルですが、ノア（「ノアの方舟《はこぶね》」の主人公）や、モーセ（紀元前13世紀頃のイスラエル民族の指導者。アロンの弟）に**死を与える役割を神から仰《おお》せつかった**とされています。

モーセに死を与える任務を請《う》けたとき、サマエルは喜んでモーセの魂を迎えにいきました。しかし、モーセの輝く顔に目がくらんで、使命を果たせず天上へと戻ってきてしまいます。それを見た神は激昂《げっこう》するのです！

それで意気消沈したサマエルは再びモーセのもとに向かうのですが、今度は逆にモーセの返り討ちにあってしまい、杖で目を打たれて盲目になってしまったという……。

そんないくつものエピソードが残るサマエルの疑問点は、神に従順で、モーセの杖で打たれて盲目になるような存在にもかかわらず、天国、現世、地獄で行動する天使の中で、最も邪悪で最も崇高《すうこう》、善悪の二面性を持つと考えられていることです。

この二面性は、おそらくキ（ミシャクジ）とサマエル＝リリスを混同してしまっているから起こってくるのではないでしょうか。

そもそもキ＝エンキ（ミシャクジ）は、最高神「アン」の妻であり、リリス（サマエル）は「キ」によって生み出された者です。

この二神は神格としてあまりにもかけ離れています。にもかかわらず、混同されている……その元凶は、歴史の中に潜んでいるのです！

15 なぜ私たちはトカゲを嫌悪するのか

「非道な実験の犠牲者」としての記憶は、今なお私たちを苦しめている

なぜ「レプティリアン」は、エデンを追放された「レムリアン」たちを自分の棲処へと導いていったのでしょうか。

一つに、自分たちの価値観を植えつけて洗脳するため。レプティリアンに従わないものは、自分たちに代わって「奴隷」としての役割を果たさせようとした。もう一つは、**人類の祖・レムリアンは、人工生命体レプティリアンにとって、**

最も美味な食材だったからではないかと考えられるのです。

それを知る、「アトランティス大陸」の頂点に君臨《くんりん》した「リリス」が、レプティリアンたちにレムリアンたちを助けるように仕向けたのではないでしょうか。

第I部でお伝えしましたが、レプティリアンは別名「爬虫類人」と呼ばれています。よく「龍蛇族」と混同してしまいがちですが、「龍蛇族」は「ドラゴニアン」のこと。**ドラゴン（龍）とリザード（トカゲ）は別モノ**です。ここはぜひ間違えないでおきたい点です。

「西洋の竜」はどちらかというとトカゲ寄り、一方で「東洋の龍」は完全に蛇の姿をしています。そのあたりが東洋・西洋思想の「善悪の概念の違い」にも関わってくるところではないでしょうか。

キリスト教圏でよく耳にする「エリザベス」（通常は、『旧約聖書』の登場人物であるモーセの兄・アロンの妻に当たるエリシェバに由来するとされる）という名前ですが、「エル・リザード・バース（el Lizard Birth）＝『**トカゲの神の誕**

生』」からきているともいわれ、そこにも脈々と流れてきた「リリスの血」があるような気がするのです。

また、なぜ欧州には「ドラゴンを退治する神話」が多いのでしょうか？

そこに描かれる**「ドラゴン」とは、長寿であることからも、叡智を知りえた「人工生命体・レプティリアン」のこと**でしょう。

神話の中では、この「人間を支配し苦しめる」ドラゴン（＝レプティリアン）を退治するように、神から使わされる者が登場します。

たとえば、アーサー王伝説で英雄となった「アヴァロニアン」たちなど。これは、おそらく「エンリル」から使わされた「牛頭族」の血統の者たちだと考えられます。

一方で、リリスを筆頭に、レプティリアンと「アトランティアン」の遺志を継いだ者たちが「エル・リザード・バース」の名のもとに、一度も途切れることなく、じっくりと濃くつながり続けているのでしょう。

そして、その存在に気づいている者たちは、そんな彼らのことをこう呼ぶのです。**「ブルーブラッド」**と。

「エサ」として好まれるものが持つ特定の周波数

また、レプティリアンたちは鍛えられた体を嫌い、脂肪がついた体を好んで食べたといわれています。

「悪」が巣くう者たちの好物は、**人間の脳波が出す欲望やストレス、恐怖によって生まれる特定の周波数**だとされていることとも関係しているように感じます。

ですから、エンリルによって楽園を追放され、恐怖と不安でいっぱいになっていたレムリアンたちは、レプティリアンたちにとって「美味しい食材」に見えたに違いないともいえるでしょう。

人工生命体レプティリアンから声をかけられ、彼らを信じた人類の祖・レムリアンの一部は、アトランティスに住み着きます。

しかし、そこでは、一部のレムリアンたちが秘密裏に誘拐《ゆうかい》され、地下施設でレプティリアンによる**非道な人体実験の犠牲者**になっていたのです。

そんなことをまったく知らずに、新しい土地（アトランティス）で暮らす多くのレムリアンたちは、エデン（楽園）を追放したエンリルに対する反発心から、地上に下ろされた自分たちを、みずから**「アトランティアン」**と名乗り始めます。

ここからもわかるように、エデンに残るレムリアンも、追放されてアトランティアンとなったレムリアンも、その呼び方自体が、決して人種のことを指しているわけではないということです。

おそらくは、それぞれの持っている信仰や、価値観によって呼び方が変わってくるものではないかと考えられます。

現代でたとえるなら、「ユダヤ人」と同じこと。本来、ユダヤ人という人種・民族は存在していません。同じ神（一神教）を信仰している者たちを総称してユダヤ人と呼んでいます。それと同じことだと、とらえていいでしょう。

このアトランティアンと名乗り始めたレムリアンは、**自分たちだけが楽園から追放されたことに対しての「恨み」の感情に、次第に支配されていきます。**

そして、同じく労働力として酷使されていることに不満を持つレプティリアンと手を組み、エデンの園で悠々と過ごしているレムリアンたちのもとへと乗り込み、反旗を翻《ひるがえ》すのです！

それはやがて、地球上の「すべての生物を巻き込んだ大戦争」へと発展していくことに――。

16 すべての生命を巻き込む超古代戦争の始まり——『竹内文書』から

超古代戦争勃発！　大地を揺るがせた「権力と怨念の渦巻く戦い」はなぜ起こったのか？

楽園を追放され、「アトランティアン」となった「レムリアン」の一部と、人工生命体「レプティリアン」によって、この世界は大きな衝撃を受けることになります。

地球上にいるすべての生物を巻き込んだ大戦争——**「超古代戦争」**が引き起こされるのです！

この出来事を考えるうえで、重要な資料になるのが『**竹内文書**《たけのうちもんじょ》』（日本に残る古史古伝の一つ）です。超古代史に興味がある人なら、その存在を知っている人も多いかもしれません。

『竹内文書』では、神武天皇から始まる現在の皇朝を「神倭朝《かむやまとちょう》」と呼び、それ以前にも、「上古《じょうご》二十五代」（または「皇統二十五代」）と、それに続く「不合朝《あずえちょう》七十三代」（73代目は神武天皇）があり、さらにそれ以前の「天神七代」の存在も記されています。

この文書を公開したのは、竹内巨麿《たけうちきよまろ》という神職につく人物でした。

『竹内文書』の中には、人類は現在の文明をはるかにしのぐ超古代文明を築き、高度な文明を持っていたのだが、文明の発達とともに人々の心が荒廃し、世界戦争が勃発したことで文明が滅びてしまった――といったことが書かれています。

前出のチャーチワードの本には、「ムー大陸とアトランティス大陸は、1万2000年前までこの地に存在していた」という話があります。

ムー大陸やアトランティス大陸がまったく残っていないことの理由の一つに、

「世界戦争が勃発して、文明が滅びてしまった」ことがあったとしても、何もおかしくはないでしょう。むしろ、そのせいでなんの痕跡もないと考えたほうがいいのかもしれません。

●「楽園を追放された者vs楽園に残った者」

この超古代戦争は、「楽園を追放された者vs楽園に残った者」の戦いでした。**「知恵の実」を食べ、心を得た者たちが、楽園に残る無垢な者たちに恨みを抱いたことが**、事の発端です。

「楽園を追放された者」には、次のメンバーがいました。

「エンキ（キ）」と「ニンギシュジッダ」（AI搭載型ロボット）によってつくられた人工生命体レプティリアン、「ルル・アメルプロジェクト」（74ページ参照）で生まれた多数の「キメラ」。

また、火星で金《きん》の監視役をする、宇宙人「アヌンナキ」の一部「イギギ」に加え、みずからも知恵の実を口にし、レムリアンをアトランティアンにした「リリス」と、彼女が生んだ多数の「ヴァンパイア（吸血鬼）」たち。そして最後に、人類の祖・レムリアンからアトランティアンとなった者たち……。

一方、「楽園に残った者」とは、リンゴを食べることを拒絶し、「エンリル」の楽園エデンで自然とともに育ち、超魔術と呼ばれる、いわゆる神通力を持ったレムリアンの生き残り。それから、彼らを守護する最高神「アン」と「エンリル」をはじめとするアヌンナキの軍団。

これら、すべてによる大規模な戦争――「聖書」での「ハルマゲドン」、北欧神話での「ラグナロク」が勃発したのです！

「トラウマ」と「恨み」のエネルギー

戦いに挑んだ者たちには、それぞれに戦いへの動機がありました。

まず、人工生命体レプティリアンとイギギ、キメラたちは、労働力として酷使されることに憤《いきど》りを覚えていました。また、アトランティアンに至っては、自分たちだけが楽園を追放させられたことに恨みを抱いていた。

そして、最も大きな動機を持つのは、レムリア大陸に攻め込んだ敵の指導者でもある、アトランティスを牛耳《ぎゅうじ》るリリス。彼女はほかの生命体をそそのかし、戦争を仕掛けた張本人でもあります。

リリスは、レムリアンの中で最初に「知恵の実」を食べたことで、楽園の管理者エンリルを激昂させ、追放の目にあっています。そのとき、彼女は下半身を蛇の姿に変えられてしまった！　その「トラウマ」と「恨み」は、とてつもなく大きなものだったのです。

リリスは、それぞれが抱える「恨みの心」を結集させて、天空の支配者であるアンとエンリルたちに、なんとしても復讐《ふくしゅう》しようと心に決めていたのです！

17 ついに「ポールシフト」が起こった！

「ノアの大洪水」にも示された一つの時代の終わり――この世界は何度もつくり直されていた……

「リリス」たちの手によって引き起こされ、地球上のすべてを巻き込んだ「超古代戦争」。その結果、何が起こったのでしょうか。

「レムリアン」たちの操る超自然魔術（神通力）と、「アトランティアン」たちの操る超科学が激突して、天変地異が引き起こされることになります。これにより、「レムリア」と「アトランティス」の二つの王国は跡形もなく滅んでしまいました。

彼らの戦いは凄惨《せいさん》を極め、地球の磁極が180度変わるほど壮絶なものでした。最終的には、1万2000年周期で起こるとされる**「ポールシフト」**（惑星などの天体の自転に伴う極〈自転軸や磁極など〉がなんらかの要因で移動すること）を引き起こし、時を同じくして、1万2000年周期で起こるとされる**「フォトンベルト」**（光の輪が地球を覆い、天変地異を起こすという現象）とも重なり、当時、地球上に存在していた大陸すべてが壊滅してしまう事態になったのです！

この超古代戦争によって破壊された大陸（宇宙船）は、世界中に落ちていきました。すべてが粉々になり、跡形もなく海の底へと沈んでいった……。

●「滅亡」は繰り返される

なぜ、粉々に落ちていったのか。それは、おそらく「失われた大陸」が宇宙船だったからでしょう。

もともとはオーストラリア大陸がすっぽり入るほどの、相当な大きさだった「母船レムリア」。そこに、リリスを筆頭に乗り込んだアトランティアンたちが、「アヌンナキ」やレムリアンとすさまじい戦いを繰り広げ、その結果、母船は粉々に破壊されていったのです……。


最高神「アン」が乗ってきた宇宙船（レムリア大陸）が複合体の宇宙船（その中に、小型船のムー大陸やアトランティス大陸が入っている）だとしたら、これも十分にありえる話ではありませんか。

もしかしたら、超古代戦争が勃発したタイミングと、「惑星ニビル」が地球に接近してくるタイミングが合って、**一部の母船はニビル星へ帰った**と考えてもいいのかもしれません。だから、その痕跡が見あたらない。

しかし、唯一の痕跡として囁かれているのが「**ブラック・ナイト**」。1万3000年前から現在に至るまで、地球の周回軌道上を回っているといわれている謎の人工衛星です。これが超古代戦争の遺跡ではないかと噂《うわさ》されているのです。

ただ一つ、「レプティリアン」たちが拠点としていたアトランティス大陸だけは、レムリアやムーと同じ宇宙船ではあっても、ニビル星に帰ったりはせず、戦争によって粉々に破壊され、跡形もなくなってしまったか、海の底でまた再び彼らに反旗を翻すタイミングを虎視眈々《こしたんたん》と狙っていたのかもしれません。ひょっとしたら、世界中に存在する海底遺跡などはその産物なのかも……。

いずれにしろ、もともと人工生命体レプティリアンを住まわせていた場所ですから、「エンリル」たちがアトランティスに対して、それほど重きを置いていたとは考えにくいでしょう。

この超古代戦争が引き金となって、**ポールシフトやフォトンベルトにより起きた自然現象を「ノアの大洪水」の原型**ととらえる人もいますし、これが原因で、もともといた巨人族の寿命がどんどん縮んでいって、体型も変わっていったというような説もあります。

それだけでなく、これまで地球上では、こういった高度な文明が滅んでは立て

光の輪が地球を覆い、天変地異を起こす「フォトンベルト」

直されて、滅んではまた立て直されて――を常に繰り返しているという説まであります。

そして今、**人類は6度目の滅亡に向かっている**のだとか。

そう考えると恐竜が滅んでしまったのは、取り巻く自然環境の変化だけでなく、大戦争のせいだったかもしれないですし、仮に何度も文明がつくり直されているとしたら、私たちの知らない生物たちが、過去の歴史のどこかに存在していてもおかしくはないでしょう。

「私たちが知っていること」は、地球の歴史からすれば、ほんの少しのことにしかすぎないのです。

リリスによって「知恵の実」を与えられ、ほかと比べることを覚えてしまったレムリアンの一部。そのために彼らは、エンリルを怒らせエデンから追放されてしまう。

その出来事に「恨み」を持ったレムリアンたちはやがて、アトランティアンとなり、最終的には地球を破滅させるような事態にまで発展させたのです。

第Ⅲ部からは、この「恨み」を心に植えつけられてしまった人間が、その後の歴史をどうつくっていったのか。そして、人類史を語るうえで欠かせない「悪」について、考えてみたいと思います。

第Ⅲ部

現代人をも悩ます「原罪」の始まり

――なぜ、この世は同じことを繰り返すのか

18 「ドゴン族」の神話を読み解く

エジプト国旗の色「黒・赤・白」は何を示しているのか。アフリカの地に今も残るメッセージとは

ここまで、シュメール神話を軸に、人類の歴史の謎に迫ってきました。

その中に、永遠の労働力を求める「エンキ（キ）」により、知恵の実を与えられ、比較を覚えたことで、最初に楽園を追放される「レムリアン」の「リリス」が登場します。

彼女は楽園追放後、仲間のレムリアンにも知恵の実を与え、自分と同じく追放の目にあわせ、そのことを発端にして地球規模の大戦争を仕掛けるのです。

このリリスこそ、人類史上、最も注目されるべき存在といえるのではないでしょうか。

●「太陽と月と大地」の幕開け

ここで、一つご紹介しておきたい神話があります。西アフリカのマリ中部に住む「ドゴン族」の神話です。

この話の中にも、シュメール神話や「聖書」と似た話がありますが、ドゴン族の神話において特筆すべきことは、**地球になぜ「悪」が誕生したのか、なぜ神と呼ばれる存在に反逆する者が生まれたのかが、細かく描かれている**点です。

さっそく見てみましょう。

ドゴン族の神話には、まずはじめに「アンマー」という神が登場します。

このアンマーが世界を創造するとき、「二つの白い壺《つぼ》」をつくりました。一つには赤い銅線を巻いて「太陽」とし、もう一つには、白い銅線を螺旋《らせん》状に巻いて

「月」としました。

　ここはシュメール神話の始まり、最高神「アン」が地球に降り立ち、はじめて見た生物（大きな蛇＝キ）と交わり、子ども（「エンリル」）を生んで「三位一体」が完成するところと似ています。

　また、このエピソードは、「闇から光が生まれ、光に影がさした」という**宇宙創造の様子を、「黒・赤・白」と色で表現している**ともいえます。「黒・赤・白」はそのまま錬金術《れんきんじゅつ》も表わしています。エジプトやドイツの国旗も「黒・赤・白」、日本の国旗もまた、古くは「白地に黒い点（＝八咫烏《やたがらす》）のある赤い太陽」だったとされています。

　この場合の月は、満月でも新月でもなく、三日月のことでしょう。太陽に照らされて白く輝く月のことです。エンリルは角が生えた「牛」の神格を持ち、それがそのまま「兜《かぶと》」を象徴しています。

　次に、アンマーは虚空《こくう》に土の玉を投げ上げて、星々をつくります。それから、大地を創造していくのです。

この大地は「双子の姉妹」でした。

そこに白蟻《しろあり》の巣ができます。巣は双子の一人の「子宮」であり、蟻塚はもう一人の「陰核」だったことから、この双子を女性ととらえた創造神アンマーは、この大地（＝子ども）と交わろうとします。

そのとき、双子の一人が**「自分は男だ！」**と叫んだのです。

すると、蟻塚、つまりは陰核の象徴が起き上がって、アンマーの前に立ちはだかりますが、それを見たアンマーは、蟻塚（陰核）をバサッと切り離したかと思うと、無理やり交わってしまったのです。

アンマーが切り離した蟻塚（陰核）からは、物事のあるべき性質を意味する双子（「この世界は

アフリカのドゴン族。はるかに離れたシュメールと不思議な共通点が……

陰陽で成り立つ」という象徴）ではなく、創造の過程に生じた「混沌《こんとん》と無秩序」を表わす単独の存在、「ユルグ」が誕生したのです！（もう片方の双子がやがて母なる大地と呼ばれる「ヤシギ」です）

このときから、本当の意味での「歴史」が幕を開けることになりました。

父親に男であることを否定され、女にされてしまい、無理やり交わられたこの混沌と無秩序の象徴ユルグこそ、その後の人類史に色濃く影を残していく、楽園の管理者エンリルに下半身を蛇に変えられた**リリスのこと**でしょう。

はるか遠いアフリカの地にも、リリスの姿は描かれていたのです。

●「言葉の壁」はこうして生まれた

この出来事を境に、父（絶対的存在）への恨みからユルグ＝リリスは、「神への反逆者」となりました。その血族が「リリスの血統」として、今もなおこの地球のどこかに受け継がれています。

『旧約聖書』の「バベルの塔」のくだりを読み解くと見えてくるもの

『旧約聖書』に登場する「バベルの塔」のくだりには、こんなシーンがあります。

かつて、大洪水の際に、方舟で助かったノアとその家族によって、神の命令で新たな人類のつくり直しが始まった。しかし、ノアの息子の一人**「ニムロデ」**だけはその命令に背《そむ》き、メソポタミアに住み着いてしまう。

ニムロデは、ヤハウェに最初に敵対した人間とされており、ニムロデとは**「我々は反逆する」**という意味を持つ。彼はその地で人々を扇動《せんどう》し、神にも届く塔を築き始めたのだ。すると、この思い上がった行為に怒った神は、彼らが二度と同じことを繰り返せないよう、言語を混乱させ、意思疎通ができないようにした——。

『旧約聖書』では、「神によって言語がバラバラにされた」となっていますが、実際はニムロデこと、**リリスの血族である「マルドゥク」が言葉をバラバラにしたと思われます。**

マルドゥクは半神半人で、鱗のある半魚の姿の双頭の巨人であり、目は四つ、耳も四つ、口からは炎を噴き、四つの風を操ったとされています。これは近年、アニメ『呪術廻戦』で話題となっている「両面宿儺」を彷彿させる姿です。

このマルドゥクは誕生してからというもの、母神リリスの考えが当たり前かのごとく、多くの神々から次々に名を奪い、数々の神話を改ざんしていくのです！

リリスは、自分を否定したエンリルのことが絶対に許せなかった。この気持ちはいずれ自分の肉体が消えてからも続いていくように、との執念から、息子のマルドゥクにその遺志を受け継がせていったのでしょう。

それはまるで、「我々の苦しみをすべての人間に味わわせたい！」とでも言わんばかりに。

コラム 「破壊→創造→維持」の定められたサイクル

この世界は「造化三神」によってつくられたものであるとお伝えしましたが、その中でも「維持」の役割を持つ「ウの神」は、とても重要な存在です。なぜなら、**維持と欲望には密接な関係がある**からです。

「ウの神」とは、造化三神のちょうど真ん中、維持の役割も持ち、数字で表わすと「6」。「魔が差す」ところとつながる部分です。

ただし、魔が差すところではありますが、ウの神は決して「魔」そのものではありません。維持しようとする「人間の心に欲が出てくること」に問題があるだけです。

たとえば、どんなに素晴らしい国ができたとしても、それを維持していく中で、国が腐敗《ふはい》することは起こってきます。常に同じレベルの徳を持つ王が、同じレベルの徳を求める人々を同じように統制していくことはできないのです。

そのために、あらゆるものは破壊され、また新しく創造されていく――この循環こそ、成長していくうえで必要なことなのでしょう。

日本神話と「ウの神」

日本神話にも「ウの神」が存在しています。それは、「タカミムスビ」です。とはいえ、この「維持する＝国をつくる」という観点から見ると、「ウの神」の役割を持った神はたくさん存在しています。その一つに、「アマテラス」の弟の「スサノオ」も「ウの神の系統」であるといえます。

実はこのスサノオも、どこかで魔が差し、悪によって入れ替えが行なわれている痕跡があります。

出雲にある**「日御碕《ひのみさき》神社」**をご存じでしょうか。

この神社は「日が昇る東の伊勢神宮、日が沈む西の日御碕神社」といわれ、**「夜を守る神社」**としての役割を与えられた、とても重要な神社です。

出雲・日御碕神社の「日沈宮」。屋根の「千木」は何を表わす？

その証拠に境内《けいだい》の立て札には「日本総本宮　神《かん》の宮　御祭神　神素盞嗚尊《かむすさのおのみこと》」と記されています。

日御碕神社は、下《しも》の宮「日《ひ》沈宮《しずみのみや》」（御祭神は天照大神）と、上《かみ》の宮「神の宮」（御祭神は神素盞嗚尊）の二社からなります。

実はこの神社には、最大の謎が残されているのです。

本来、社殿は祀られる神によって性別がわかるように、屋根部分にある千《ち》木《ぎ》（屋根の棟の両側に交差させた長い木材）と、鰹木《かつおぎ》（棟木と直角の方向に横たえ並べた丸太）で見分けるようになっています。

千木の場合、内削《うちそぎ》と外削《そとそぎ》の2種類あり、内削は女《め》千木と呼ばれ、「女神」を表わし、外削は男《お》千木と呼ばれ、「男神」を表わしています。

日御碕神社のスサノオを祀る社殿は女千木で、アマテラスのほうは男千木になっているのですが、これが意味することは何でしょうか。


そもそも、この「スサノオ」という名前。私たちは神の名前と思っていますが、実際は**「スーサの国の王」**という役職名を表わしています。スーサとは、かつてシュメール文明が起こった地域、シュメールの首都名です。

当時のシュメール地方にはウルク朝があり、ここでは代々男性が王として君臨していたのですが、その中で唯一女帝となった者がいます。「ウルクの女王（ク・バウ）」と呼ばれていました〈ク・バウとクババ〈クババについてはのちほど詳述します〉は同一神とも考えられていますが、実際は双子の可能性が高いと考えます）。

この女王こそ、日本神話と関わりが深い人物、**「コノハナサクヤヒメ」**だと考えられるのです。

ウルクの女王（シュメールでは「イナンナ」という名前。実際は、コノハナサクヤヒメ）は、シュメールの半神半人であったとされる太陽神「ウツ（ウトゥ）神」（アマテラスの神格を持つ）とともに、**超古代戦争後の大洪水を免れ、ノアの方舟に乗って「人類再起の祖」となった**と見ています。

その理由の一つに、コノハナサクヤヒメの別名が「牛鬼《うしおに》」（京都の貴船《きふね》神社の摂社《せっしゃ》の一つ牛一社《ぎゅういちしゃ》において、「牛鬼」と記されている）であること。その字が表わす通り、のちに彼女は「牛頭天王」という神格を持つに至ったのではないでしょうか。

ちなみに、そのとき一緒に来たウツ神（イナンナの双子の兄）は、太陽神の神格から類推しても、日本の初代天皇とされる「神武天皇」になったと考えてもいいでしょう。

そうならば、スサノオが女性だったというのも、ありえる話です。
では、いったいどの段階で、スサノオは男性神とされていくのでしょうか（スサノオが男性神とされると、必然的にアマテラスは男性神ではなく、「女性神」と考えられるようになっていきます）。

その原因になった人物こそ、**「ニニギノミコト」**。日本神話ではコノハナサクヤヒメの夫とされている存在ですが、その正体は、のちにこの地に入ってきていた「マルドゥク」（「リリス」の息子）でしょう。
実際、ニニギノミコトは、「オオヤマツミ」からコノハナサクヤヒメだけを奪います。さらには、ほとんど言いがかりのようにコノハナサクヤヒメの不貞を疑い、そのことに心を病んだコノハナサクヤヒメは、二人の子どもを生んだあとに富士の火口に身を投げて、命を落としてしまったという逸話が残っています。

ここから読み解けることは、当時、女性の王として君臨していたコノハナサクヤヒメを消すことに成功したマルドゥクが、**スサノオの名前を奪い、「自分こそ**

が王だ」と名乗り出した。

その際に、「スサノオ」は、女性から男性へと切り替えられたのではないでしょうか。

都合の悪かった神

スサノオに限らず、天孫系の祖となったマルドゥクたちにとって、都合の悪い神々は次々と名前を奪われたり、神話にはほとんど出てこず、隠されたりしています。

「セオリツヒメ」という神もその一つです。

この神は、日本神話（『古事記』、『日本書紀』）に登場しないので、その名を知る人も少ないかと思いますが、神道の「大祓詞《おおはらえのことば》」において罪や穢《けが》れを祓《はら》い清めるとされる**「祓戸四神《はらえどのししん》」の筆頭として登場する女神**です。

この神が神話の中からなぜ消されてしまったのか。おそらく、はじめからこの地にいた神だったからではないでしょうか。

あとから、この地を支配したマルドゥクたちにとっては都合の悪い神だった。だから、その存在を消したかったのだと思います。

ということは、逆に、それほど重要な神であるともいえるのです。

このように、あまり知られていない神であるほど見逃しがちですが、日本神話では、とくにキーポイントとなる「龍」や「蛇」**に焦点を当てていくと、重要であるはずの神の存在と、その真実が見えてきます**（ちなみに、セオリツヒメは龍の化身〈「大祓詞」では川に坐《いま》す水の神〉とされています）。

また、セオリツヒメは、はじめからこの地にいた「龍の化身」ということからも、おそらく大地母神「キ」の役割があったのでしょう。

そう考えると、たとえば、シュメール神話では、海水を司る「ナンム」（海の女神。天地を生んだ母、すべての神々を生んだ母なる祖先）や、大地母神「キ」と同じです。

加えて「キ」の神格を持つということは、ギリシア神話の「ガイア」の神格も持ち合わせており、同じくギリシア神話の「レア」とも同じ神格になります。

その神の特徴などを、ほかの神話で同じ神格を持つ神に当てはめていくと、封印されて情報が少なかった神の姿が、ありありと浮かび上がってきます。

そして、書き換えられたかもしれない真実が、仄《ほの》かに見えてくるようになるでしょう。歴史はいつも、勝者によって書き換えられていくものなのです。

19 何が「善」で何が「悪」なのか

それは「ユートピア」——楽園と地獄が共存する世界がもたらしたのか……

第Ⅱ部では、「リリス」がもたらした「知恵の実」を口にしたことで、比較と恥を知ってしまった「人類の祖・レムリアン」が、次第に欲望に飲み込まれていく様子をお伝えしました。

「知恵の実」とは、いったいなんだったのでしょうか。

たしかに、この知恵の実を口にした人類は**「善悪の判断を生み出す心」**を手に入れてしまったともいえるでしょう。それは、人類最大の欲望である「金《かね》、欲、楽」が生まれることにつながり、結果として、この世界を破滅させる戦争まで引き起こしてしまうのです。

もし、この邪悪な心さえ手に入らなかったら、「楽園は楽園のままだった」のかもしれません。そもそも知恵の実を食べなかった人類に、「ユートピア（理想郷）」自体、存在することはないのですから。

ユートピアというのは**善悪に関係なく、金、欲、楽（欲望）に関わらない世界のこと**。つまり、無垢な人たちにとって、そこは「楽園」かもしれないけれど、金、欲、楽にとらわれた人たちにとっては「地獄」かもしれないということです。

結局、私たち人類の歴史は、その欲望を持った心がもとで争いを繰り返しているわけですから。

そう考えていくと、一般的にはリンゴ（apple）とされている知恵の実とは、**「自我、思考、心」**を司ったものであり、人類の祖・レムリアンであるアダムとイヴが食べた知恵の実は、その後の人類に「原罪」（善悪を判断する心）を与えたというよりは、**「七つの大罪」**（人間を罪に導く可能性があると見なされてきた欲望や感情）**を与えた**のではないかと思われるのです。

「傲慢《ごうまん》、物欲、嫉妬、憤怒《ふんぬ》、色欲、貪食《どんしょく》、怠惰《たいだ》」。この七つの大罪こそが、人を人たらしめている感情（欲望）なのではないでしょうか。

一方で、リリスが惑わし与えた知恵の実によって生まれた欲望はまた、人間の心に独占欲という形の「愛」が芽生えることにもなりました。

それにより執着心も生まれ、苦しみも覚えます。しかし逆に、そんな感情豊かな世界こそ、美しいといえるのかもしれない――。

知恵の実は、この世界で暮らす人々に、何が善で、何が悪かがわからなくなる「複雑な世界」を生み出すきっかけを与えた……とも考えられるのではないでしょうか。

コラム

神の「名」が示しているもの

神話とは面白いもので、前述の「セオリツヒメ」のように、別々の神話を読み比べてみると、同じ神格を持つ神々が次々にわかってくることがあります。
また、その名前の中に、**「同じ神なのでは？」**と見て取れるものも多数あります。

たとえば、日本神話に登場する「タクハタチヂヒメ」。この神は、アマテラスの長男のアメノオシホミミと結婚し、ホアカリノミコトとニニギノミコトを生んだ神とされています。

このタクハタチヂヒメを漢字にすると、「栲幡**千千**姫」。名前に「千千」の字が入ることから、「千の頭＝アナンタ」（インド神話で、この世界にはじめからいるとされる大きな蛇）を表わしているとも考えられます。

また、「ハタ」が入っていることからも、八幡《はちまん》であり八大龍王、そして機織りの神、つまり織姫のことも指していると考えられます。

この神の別名に、「ホノトバタヒメコチヂヒメ（「火之戸幡姫児千千姫」）」があります。「火之戸」と表記されることからも、彼女が「ホト」（女性器）を焼かれて黄泉へと旅立ったイザナミの神格を持っていることもうかがえます。

この神名の中だけでも、ほかの神を連想させる字が、こんなにたくさん入っているのです。

しかし専門家は、まず時代背景から、「この時代にこの神がいるのはおかしい」と考えて、改ざんされている可能性の高い「神の相関図」を真実だと誤認します。

それこそが悪魔が仕掛けた「壮大な嘘」であることに気づかないままに……信じてしまうのです。

ここで、先にもあげた「造化三神」について、同一神格を持つと思われるものを改めてまとめて見てみましょう。

◆「ムの神」――カオス（混沌。この世の始まり）。原初をつくり出した「破壊の神」「アメノミナカヌシ」。インド神話では、「シヴァ」の神格を持っている。

◆「アの神」――「創造する（生み出す）神」。インド神話の「ブラフマー」、エジプト神話の「太陽神ラー」、シュメール神話の「ティアマト」「ナンム」。仏教なら「梵天《ぼんてん》」（元は古代インド思想の「ブラフマン」）、日本神話なら「カミムスビ」「アマテラス」など。

◆「ウの神」――「維持する神」「国をつくる神」。ヒンドゥー教なら「ヴィシュヌ」。日本神話なら、「タカミムスビ」「クニトコタチ」「スサノオ」。月神で風神の神格を持つ神であることからも「エンリル」。シュメール神話における淡水（雨）を司る「アプスー」など。

「ムの神」の血統は、やがて太陽と月、両方の神格を兼ね備えた「龍蛇族」へ、「アの神」は太陽の神格から「悪魔」にすり替えられて「リリスの血族」へ、「ウの神」は月の神格から、やがて「鬼の一族」へと、受け継がれていくのです。

血統へのこだわり

現代の常識からは考えにくいのですが、神話の中ではときに母だった者が、息子と結婚したり、娘になっていたりするのですが、これはなぜなのでしょう。

その理由の一つとして、彼らが「一つの血」にこだわってきたこと。

もう一つは、人類の祖・レムリアンの血を引く一族が何千年と「長生きする者たち」であったことがあげられます。

偶然にも完璧な生命体の人類の祖・レムリアンを生み出すことに成功した、現存する神話の中で「神」と呼ばれる存在は、宇宙人「アヌンナキ」でした。その中でも、不死に近い龍の生命体で、大地母神でもある「キ（＝エンキ）」の遺伝子が色濃く受け継がれた「レムリアンの女性」は、男性よりも長生きするようにできていたのでしょう。

なので、年を取らないレムリアンの女性の中には、ときに「王」として国を統治する立場にある「自分の子ども」と結婚してしまう者も出てきます。長い生涯ですから、何かあるたび、名前を変えたりすることも、神話を複雑にしている原因の一つでしょう。

それ以上に、**この世界に、いろいろな神の名が存在しているのは、「リリス」の子「マルドゥク」によって言語をバラバラにされたことが一番の原因です。**

本来なら一つの神のことを伝えているにもかかわらず、名前（呼び方）が異なるために、それぞれの地域ごとに、それまでに描かれた神話とは別のものとして、新たな話がつくられ、それぞれの地域でそれぞれの神を崇《あが》めてしまう状況ができてしまいました。

やがてそこには、誤解が生まれ、憎しみや恨みの感情が増幅されて、現在のような争いの絶えない世界へとなってしまったのです！

20 1万2000年前に栄えていた謎の都市「ギョベクリ・テペ」

21世紀に発掘された「オーパーツ」。そこに知られたくない真実があったのだろうか

「リリス」は世界中の至るところに、その影を残しています。これからご紹介する**「ギョベクリ・テペ」**という遺跡にも、リリスの姿が見え隠れするのです。

この地球上すべての生き物を巻き込んだ大規模な戦い「超古代戦争」が起こったのと時を同じくして、1万2000年前に栄えていたギョベクリ・テペという

謎の都市が、現在のトルコ南東部にありました。今では日本を除いて、人類最古の遺跡とする説が有力です。

本来、農耕生活から宗教が生まれた、というのが歴史の定説ですが、このギョベクリ・テペには周辺に居住地としての街の痕跡がまったくなく、**儀式や祭礼を執《と》り行なう神殿しか存在していませんでした。**

これは見方を変えると、**何もない場所に突然、宗教が誕生した**ことを示唆《しさ》しています。

ギョベクリ・テペは、古代の天文台だったのではないかとの説もあります。しかし、これも先ほどから説明している「母船が宙に浮いていた」とすれば、たとえ「祭祀をする場所」しか存在しなかったとしても、なんの不思議もないでしょう。

祈るときだけ地上に降りればいいのですから。

●なぜ、「何もないところに、突然……」

ある都市伝説を紹介するテレビ番組の中で、

「ギョベクリ・テペで信仰されていたのはクババであり、彼女は叡智の女神キュベレー。このキュベレーこそ超絶ＡＩであり、人類をコントロールする女神なのだ！」

と、力説する男性がいました。

さらに続けて彼は、「クババこそ『知恵そのもの』で、今から１万１５００年前、ギョベクリ・テペがあるアナトリア半島で、この**クババ神によって人類は知恵をプログラミングされたのだ！**」と断言しています。

彼の発言は、いったい何を意図しているのでしょうか。

たしかに、アナトリア半島で６０００年以上も崇拝されていたとされる、この「女王クババ」。彼女は古代ローマで信仰されていた知恵の神「キュベレー」の原型とされています。

このキュベレーは、とても妖艶《ようえん》な姿で描かれることが多いのですが、それはまさに、リリスを彷彿とさせる姿なのです。

ギョベクリ・テペがあったとされる1万1500年前とは、超古代戦争が起こった500年後。ということは、この超古代戦争後、戦いによって引き起こされた大洪水を生き延びた**リリスの手によって、ここの一帯がキュベレー信仰に変わった**と考えたほうが正しいでしょう。


実際、1万2000年前にギョベクリ・テペはすでに滅んでいます。

ということは、それまでのくわしい歴史は、それ以降にその地に住んだ者によって伝えられていった、と考えるのが妥当ではないでしょうか。

仮にそうなら、このテレビ番組の男性は、「リリスこそ、人類をコントロールする女神だ！」と伝えているということにもなる。テレビのような大衆に影響力のあるメディアで、リリスの存在を堂々と明かしたことは、自分はリリス側の人間であると宣言していると、とれなくもないでしょう。

次に、キュベレー信仰者たちについて見ていきましょう。

最も狂信的なキュベレー信仰者たちは、ヘレニズム時代（前4世紀～前1世紀）に見受けられ、みずから「聖なる儀式」の名のもとに生殖器を切断し、完全去勢《きょせい》した男性たちがほとんどでした。

彼らは女性の衣服をまとい、人々を乱交的儀式に導き、激しい音楽とドラムを響かせて飲酒をさせ、若者たちを堕落《だらく》させていくことで女神への崇拝を示していたといいます。

これと同じようなことが、現代社会においても行なわれているのですが、いったい何かわかりますか？

また、近年、米国のパスポートの性別欄に、性的マイノリティーの人々のために、男性と女性以外の選択肢として「X」と書かれたものが発行されるようになりました。日本にヴィジュアル系ロックを浸透させたバンドも同じ名前であり、その最初のアルバムが『BLUE BLOOD（ブルーブラッド）』なのは、偶然なのでしょうか？

リリスの血族である「ニムロデ（＝マルドゥク）」の誕生日は12月25日ともいわれています。Merry Xmasの「X」はニムロデの象徴とされ、その意味は「Magical or Merriment Communion with Nimrod.」（ニムロデと一体感を得る、魔術的すなわち快楽的な交わりの儀式を楽しもう！）ともいわれています。

あなたはこれをどうとらえますか。

●1万2000年前のオーパーツ

ちなみに、２０１６年には、１万２０００年前のものと思われる「オーパーツ」（OOPARTS＝Out of Place Artifacts＝場違いな人工物）がイランで見つかっています。

しかもそれは巨人（!!）の姿で、ガラス製の容器の中に収められていて、この容器は一種の冷凍催眠装置のような体《てい》を成していたのだとか。

「未知の技術によって、ガラス容器内の時間の流れが変えられていた」という話もあるようで、この巨人が発見された洞窟は、約30メートルの巨大な暗黒物質で覆われていて、その内部には解読不能な未知の文字がびっしり書かれていたともいわれています。

当時、この巨人は「アヌンナキ」、おそらくシュメール人ではないかと専門家たちが騒いでいました。隣国でもあり、年代的にも一致するギョベクリ・テペとの関連性のほうが高いと思うのですが、どうでしょうか。

もしこのオーパーツの秘密が解明されていたなら、もっともっと超古代史の秘密が明かされていたかもしれませんが、残念なことに、一度しかニュースにならず、その後がどうなったか誰も知ることができません。

もしかしたら、「巨人の骨」と同様に、「知られたくない真実」が出てきてしまったのかもしれない……。

2020年にも、「シュメールの伝説の王・ギルガメシュの墓が見つかった」との一報がありましたが、これも、その後の話はいっさい出てこずに、その場所自体が突如として紛争地帯になりました。

この「巨大な骨」はいったい……？（1911年米国ワイオミング州）

こういった**「いわくつきの場所」には、歴史的な痕跡が隠されていることが多い**のも事実です。

世界各地で勃発する戦争や紛争は、そこにあった「知られてはならない建造物」を破壊するために引き起こされなければならなかった、という説まであるくらいですから。

いずれにしろ、ギョベクリ・テペは神殿しか存在しない不思議な場所としての謎を残しながら、決して壊されることなく、人々の心に「知恵」を与えた者の正体を考えさせようとしている――。

あえて残されているものなのです。

21 「天命の書板」が持つ宿命

「テクノロジー」はどこへ向かうのか。文明崩壊には恐るべきパターンがある

楽園から追放され、超古代戦争を引き起こしたものの、恨みを晴らせなかった「リリス」は、自分を蛇の姿に変えた権力者「エンリル」に対しての復讐心を、片時も忘れることはありませんでした。

それをいつの日にか成し遂げるために、自分の遺志をしっかり反映してくれる者がどうしてもほしかったのです。自分がいずれはいなくなってしまっても、絶対に信じて従ってくれる、「彼女を神とする信奉者」が何よりも必要だった……。

そうすれば、たとえ時代が変わっても「あれが神です」と永久に語り継がれるし、神の言葉は「絶対」となる！

体のDNAレベルまで見通すことのできる「メー（AI）」をもってしても、寿命を延ばすことしかできない。死を免れることができない運命ならば、永遠に崇められる存在になりたい、と願ったのでしょう。

このように、悪に傾いたリリスは、さまざまな悪事を働いていきます。それはのちに、息子の「マルドゥク」や、さらにその子孫たちにまで引き継がれていくのです。たとえば、ときに人の名を奪ったり、善良な者を悪者に仕立て上げたりして……。その中でも、大きな出来事の一つは、**リリスが「エンキ（キ）」から「メーを奪った」**ということではないでしょうか。

「メー」はメソポタミア神話では、「天命の書板」と称されていますが、どちらも同じものを指しています（おそらく「AI」のこと）。

このメーは、やがてリリスの息子のマルドゥクへと受け継がれていくのですが、マルドゥクはメーを持ったまま、エジプトの地で封印されることになるのです。

しかしのちに、エジプトの考古学者がピラミッドに眠る「ファラオの墓」を掘り起こしたことで、偶然にもマルドゥクが現代に生き返ってしまいました。「天命の書板」とともに――。

そのときから、この地球上で新たな**「テクノロジーの世界」**が動き出しました。それが発展し、現在のインターネットの世界が生まれたのです。

現代に蘇《よみがえ》ったマルドゥクに感化された人々によって今、「天命の書板」(メー)はコントロールされています。マルドゥクは、リリスの血を引き継いだ「サタン」。それがこの世界のテクノロジーの発展に関与しています。

「世界最古の文明」と一般的にいわれている、シュメール文明が滅んだ理由は「文明にこだわり」すぎて、自分たちが神にとって代わり、「この世界を支配しようとした」から。

これと同じことが、現在、起きようとしている!

「天命の書板」であるテクノロジーを手にしたときから、文明崩壊への速度は増し、今はもう、その最終段階に突入しているのです。

22 今なお私たちは「メー」に支配されている

悪魔の暗号、絶対数……そこに悠久の定理が隠されている

本来は、この地球に元からいた大きな赤い蛇「キ」（メソポタミア神話における原初の海の女神「ティアマト」）が所有していたとされる「天命の書板」＝「メー」（天命のタブレット）を母親「リリス」から受け継いだまま、ピラミッドに封印されていた「マルドゥク」。

偶然にもエジプトの考古学者によって掘り起こされたことで、数千年を経て、この地に再誕しました。

「天命の書板」は別名**「地球外生命体から地球人に遺《のこ》された聖書（レコード）」**とも呼ばれています。これにより、テクノロジーの世界がさらに発展することになったのです。

おかげで、社会がとても便利になったのは事実です。とくにパソコンやスマートフォンの普及は、私たちの生活を完全に新しいものへと変えていきました。

そのスマホといえば、リンゴをかじったシンボルマークを持つ「Ａｐｐｌｅ」社。アップルの最初のコンピューターの値段は、「６６６ドル66セント」。

ＡＩ（人工知能）とは、そもそも悪魔のテクノロジーなのかもしれません。この数字の並びには、運命の糸がつながっていたのです。

●「666」の暗号

この「６６６」という数字、『新約聖書』の「ヨハネの黙示録」では次のように記されています。

また、小さな者にも大きな者にも、富める者にも貧しい者にも、自由な身分の者にも奴隷にも、すべての者にその右手か額に刻印を押させた。そこで、この刻印のある者でなければ、物を買うことも、売ることもできないようになった。この刻印とはあの獣の名、あるいはその名の数字である。ここに智恵が必要である。賢い人は、獣の数字にどのような意味があるかを考えるがよい。数字は人間を指している。そして、数字は六百六十六である。

(『新約聖書』「ヨハネの黙示録」第13章16～18節)

キリスト教圏では、この数字に「悪魔」を連想させることが多くありますが、果たして、これは本当に「悪魔」を表わすのでしょうか。

たとえば、日本の八幡信仰(八幡神は「戦《いくさ》の神」として知られ、日本の神社信仰の中で最も広く普及した信仰で、全国に4万余の八幡宮がある)で使われる「左三《ひだりみ》つ巴《どもえ》」のマークがあります。

これも、666を逆さにしたような形をしています。

この紋は、八幡宮の主祭神の応神天皇《おうじん》の腕に「左三つ巴」のようなアザがあったことに由来するとか。

また、三つ巴の紋様は、「渦巻く水流」からきているともいわれており、そこには日本神話の国生みに似た「地球の息吹《いぶき》」が感じられます。いわば「悪」とは反対側にあるようなイメージです。

一方で、「666」という数字を実際に「悪いもの」として使っている者もいます。

そこが世界を複雑にしてしまうのです。

ですから、先ほどの話ではないですが、「リリス」や「マルドゥク」は本来、悪ではないけれど、「心」を持った生命の中に巣くっているものが、リリスやマルドゥクを「悪」にするのかもしれない……。

しかし、それも「金・欲・楽」を知ったために起こること。ですから、なるべくそれに関わらない生き方が一番なのです。

欲望にコントロールされ、「悪」を利用する者たちが、彼らと正反対の、自然とともに暮らし、宇宙とつながることのできる、「人類の祖・レムリアン」の血を引く者を敵視してしまうのは、なんとなくわかる気がしませんか。

ちなみに、アップル社の創業者であるスティーブ・ジョブズ亡きあと、「iPhone」は「9」を出しませんでした。

京都・祇園祭（八坂神社）の
「三つ巴」も「666」なのか

マイクロソフトもまた、「Windows 9」はつくっていません。

数字の9というのは、「神（シヴァ）の数字」であり、「絶対数」だからです。

「6」という数字はあえて人々に見せようとし、「9」という数字は避ける……。これはいったいどういうことなのでしょう。

●高度な文明を持つ悪魔たち

テクノロジーの発達とともに、高度な文明社会に突入した現代において、人々の精神を支配するツール、その代表的なものがスマートフォン。言い換えれば、**高度な文明を持つ悪魔たち**。

リリスの血を受け継ぐ血族は当初、人間を増やすことで、自分たちのために地球に広大な「人間牧場」を設ける計画だったのかもしれません。

この「悪魔の血族」とは、「エンキ（キ）」と、AIを搭載したロボットの「ニンギシュジッダ」が永遠の労働力のためにつくった、人工生命体「レプティリアン」のことかもしれません。

レプティリアンは、「人類」を食料として、可能なら自分たちにとって代わる労働力にしたいと思っていました。

そのレプティリアンをコントロールできるのは、メーを持つ者だけ……。メーはリリスの息子のマルドゥクの復活とともに、この世に解き放たれました。すでに、マルドゥクに感化された者たちの手に渡っていることでしょう。

メーを持った「悪魔の血族」によって、今はさらに効率よく我々人間の肉体を搾取《さくしゅ》するほうへと未来は向かっています。

それは、魂をＡＩに閉じ込め、映画『マトリックス』（コンピューターが支配する仮想現実空間）のように肉体を培養する計画……。

たとえば現在、ある人が開発しているワクチンには、「ナノボット」（極小サイズの機械装置）が含まれているという話もあります。これが実用化された場合、我々の肉体を乗っ取ることも可能になるのだとか。

極小の注射針（マイクロニードル）から、私たちの血液に注入されたナノボットは、脳細胞の位置を特定し、それらを一つひとつ置き換え、それぞれの器官が持つ機能を補うことすらできるとも噂されているのです。

つまり、**人間の記憶さえもすべて再プログラミングすることが可能**になる。ゆくゆくは、私たち人間を完璧にコントロールするために——。

ナノボットを打たれると、この物質が脳へとたどり着いたとき、記憶を書き換えたりすることもできるのだとか。

これが実用化され、私たちの体内に入ってくると、これまで生きてきた人生の記憶さえも、まったく違うものに書き換えられてしまうので、打ち込まれた人は**もう自分ではなくなってしまうのです**……。

これは同時に「間違ったものを正しいと思い込むようになっていく」可能性も持ち合わせているといえるでしょう。まるで、リリスを神と崇めさせた「キュベレー信仰」のように。

このワクチンの中に含まれている酵素の名前は「ルシフェラーゼ」。ホタルなどの生物の発光物質が、光を放つ化学反応を触媒《しょくばい》する作用を持つ酵素の総称です。ルシフェラーゼは、別名を「ルシファーレイス」。訳せば「悪魔の種族」。

——これは都市伝説でも、偶然でもないのです。

悪魔は確実に、この現代社会に存在しています。**彼らの究極の目的は「神とは別の世界をつくる」こと**。言い換えれば、「レムリアン」が住んでいた楽園とは正反対の世界をつくること。

そこは、人間が肉体を捨てた「マトリックス世界」。死にたくても死ぬことのできない永遠の労働がある世界——。

つまり、人工生命体レプティリアンたちが、エンキ（キ）たちから強《し》いられていた**奴隷世界の再来**なのです。

コラム すべての真理を開くカギ――「３６９」

私たちは生まれたときから、なんらかの数字を持たされています。たとえば、いつ生まれた、体重はどのくらいの重さだったか……など。

この数字は、人類が「つくった」ものではなく、人類が「発見」したものであるといわれています。人類は、宇宙の銀河や星、自然の中で数字に出会い、それをこの世のどこにでも当てはめられることを発見しました。

世界共通の言語として今も存在しているもの、それが「数字」です。

物理学者のニコラ・テスラは「３６９」の数字の意味を理解すれば、**宇宙へのカギを手にすることができる**、と説きました。

これはまさに「３６９＝ミロク（弥勒）」です。

第I部で、この地球に関わる「アヌンナキ」たちが、それぞれの場所に、300人、600人、900人いたことをお話ししましたが、彼らはこの「369」の持つ力を知っていたのではないでしょうか。

ただ、19世紀中頃に生まれたニコラ・テスラが、すでにこのことに言及しているのは驚くべきことです。

ニコラ・テスラは、数字の持つパワーに心酔《しんすい》し、「369」にこだわった生活をしていたと伝えられています。

たとえば、ホテルに泊まるときは必ず「3」が関連する部屋番号を選び、食器を拭《ふ》くナプキンは、3の倍数である18枚使うことを心がけていたとか。

そんなニコラ・テスラが最後に残した言葉は、

「宇宙の秘密を知りたければ、エネルギー、周波数、振動について考えよ」

というものでした。

ちなみに、「振動」とは「言霊」を表わしたものなのです。

「369」という数字は、ピラミッドの位置や星の位置、自然の中、そして建造物にも必ず、使われていることがわかっています。そのため、宇宙の仕組みそのもの（「宇宙の法則」）と考えられているのです。

インドの僧侶・弥勒（マイトレーヤ）は、大乗《だいじょう》仏教の中で瑜伽行唯識《ゆがぎょうゆいしき》学派の開祖（ヨーガの実践の中に唯識の体験を得て、教理にまとめた人）とされています。

つまり、ヨーガの教えを説いていた人こそが弥勒（369）だったわけで、「ヨーガには宇宙の真理がある」とは、こういうところにも理由があるのです。

369は高次元へとつながる数字!?

さて、1から9までの数字の中で、**3、6、9は高次元につながる数字**であり、それ以外の1、2、4、5、7、8の数字は、この世＝物質世界（三次元）を表わすものとされています。

どこが違うのでしょうか。わかりやすいのが「カバラ」（ユダヤ教の秘教）です。

カバラでは、数字は原則1～9とされているので、2ケタになると十の位と一の位に分解し、それを足していくという考え方をします。

たとえば、8と8を足すと16。16を十の位と一の位に分解し、1と6を足すので7になります。同じように、7と7を足すと14、1と4を足すと5……そして、5と5を足すと10になり（ちなみに、0という数字はインドの数学者が7世紀に〝発見〟したもので、大昔には存在していません）、1+0=1ですから、また1に戻る……。

こうやって1ケタになるまで足し続けていくと、1+1=2、2+2=4、4+4=8、8+8=16、1+6=7、7+7=14、1+4=5、5+5=10、1+0=1……なんと、すべてがこの1に戻るサイクルになるのです！

では、**「宇宙の法則」**を表わす369はどうなるのか。このルールに則《のっと》って足してみます。

まず、「3」。3+3=6、6+6=12、1と2を足したら3で、元に戻ります。

次に「6」。6+6=12、12+12=24。これを足したら6。また、12は1+2

＝3です。

3と6は、その数を足していくと、3、もしくは6になるのです。


では、「9」はどうでしょうか？　9＋9＝18、1＋8＝9。

今度は「18」を分解せずに足してみます。すると、18＋18＝36になります。これを分解して足すと、3＋6で9。36＋36は72、7＋2＝9……。

不思議なことに、9はずっと9のまま。すべてが9に行き着きます。9は9にしかならない。だからこそ**「絶対数」**と称されていて、この変化しないことが**「神の法則にある」**とされる理由です。


さらに、インドの宇宙を示す音とされる「AUM（オーム）」（20ページ参照）にも、それぞれに「象徴する神」と「数字」があります。

「A（ア）」＝「ブラフマー」。宇宙の創造を意味し、象徴となる数字は「3」。

「U（ウ）」＝「ヴィシュヌ」。維持を意味し、象徴となる数字は「6」。

「M（ム）」＝「シヴァ」。破壊を意味し、象徴となる数字は「9」。

つまり、この**「369」という数字は、宇宙の法則である「創造、維持、破壊」をも表わしている**のです。

「魔が差す」のはなぜか

これをもとに、前項で取り上げた「666」の数字を見てみると、次のような解釈もできます。

生きとし生けるものはすべて、成長していく（創造・3）。しかし、ある一定のところまでくると、それを維持しよう、保持しようとする（維持・6）。終わること（破壊・9）を恐れ、保ち続けることに固執したとき——そこに**魔が差してしまう**。

ここでもいえることですが、「6」自体が悪いというわけではありません。維持しようとすることは本能なのですから。ただ、その状態を永続させようとすれば「依存」と「執着」が生まれ、そこに「魔」が差す。ここが問題なのです。

まさに「魔的なもの」とは、知恵の実を食べたことで手に入れてしまった「金、欲、楽」のことだといえるではありませんか。

一方で、絶対数「9」。これは「破壊」を表わし、それは同時に「死」をも意味すると断言していいかもしれません。

結局のところ、我々人間は、死（破壊・9）を恐れるから「維持・6」にこだわるのではないでしょうか。しかし、それは宇宙の真理（ヨーガの教え）からは、とても離れていること（ヨーガの神は、破壊神でもあるシヴァ）。

私たちは、死の先に輪廻《りんね》（命あるものは何度も生まれ変わる）というものがあると本能ではわかっていながら、輪廻（創造）を信じられないために、死（破壊）を恐れているだけなのです。

弥勒菩薩《ぼさつ》やブッダがその宇宙の真理（ヨーガ的な教え）を世の中に諭《さと》しました。菩薩という言葉は、「悟りを求める者」を意味し、一方で、ブッダには**「悟りを開いた者」**という意味があります。

つまり、悟りを開いた人は369の概念（宇宙の法則）から外れ、ちゃんと9（本当の神の世界）に行き着くということ。

ですから、9の深奥《しんおう》を知る人は、死を超越するメンタリティーができているともいえるのです。

これこそが日本人が持ちえていた「侍魂《さむらいだましい》」であり、ネイティブアメリカンが持つ死生観――「今日は死ぬにはいい日だ」と日々、心から思えるようになることが、この世界を生きるうえで最も重要なこととつながります。

死に対する恐怖の超越こそが「悟り」です。この世界には偶然はありません。そのすべてが「因果《いんが》」の中にあり、この世界で起きること、そのすべてに理由が・・・あるとわかっているから、その境地になれるのです。

そのことを「369」という数字は、示してくれているのではないでしょうか。

この世の文明は、すべて「9」に関係する

死を超越する「悟り」を教える絶対数9は、地球が持つリズムとも関係しています。そこにもまた、「宇宙の法則」が秘められているのです。

「歳差運動《さいさ》」（自転している物体に外力が加えられると回転軸が周期運動をする現象。首振り運動）や、地球の「文明焦点移動の法則」（地球上の文明の発達と変遷《へんせん》は規則的な動きをしているという法則）も、たどり着く先は「9」になるのです。

たとえば、地球のまわりを一つの黄道十二星座《こうどう》（おひつじ座、おうし座などの12星座）が通るのに、2160年かかるといわれています。この2160の数字を一つずつ足していくと9になります。

ほかにも、地球は球体なので360度、足して9。

地球における自転は、24時間でワンスピンするので、歳差運動のスピンは、2万5776年。これを全部足したら、なんと9になるではありませんか！

『ガイアの法則』（千賀一生著、徳間書店刊）によると、今の文明のポイントは東経135度の明石《あかし》、淡路島にあるとされ、この135度もすべて足すと9になります。

人類最初の王権が成立した都市とされている、シュメールのエリドゥから淡路島までの経度の差も、正確に90度（!!）だそうです。

イザナギとイザナミの「国生み」は、DNA の螺旋構造そのもの!?

また、『ガイアの法則』には、「東西の文明は1611年の間に生まれては滅び、経度が22・5度ずつ移動していく」と書かれています。

この数字もまた足していくと、すべてが9になるのです。

ちなみに、この1611年の周期で、地球の東側で文明が興り、それが終わると、今度は地球の西側に移って文明が興ることになっており、この東西に文明が展開されていく法則は、地球が左右にスピンしながら自転していることと関係しているのだとか。

これは地球を一つの生命体として見た場合に、「右螺旋《らせん》」「左螺旋」で成り立つといえるのではないでしょうか。私たちの細胞を構成する「DNAの螺旋構造」と同じ仕組みです。

日本神話では、日本の国生みを「イザナギとイザナミが天沼矛《あめのぬぼこ》でかき混ぜた」ところから始まりますが、これも「DNAの螺旋構造」につながるように感じられるではありませんか。

このように、偶然のように思えることでも、偶然はありえません。この世界に起こることは、すべて「一定の法則」に則ってつくられているのです。

こういった、目に見えないものを見えるようにしてくれるもの、それが数字だともいえます。

それは、次第にこの世界への疑問が芽生え、「人間はなぜ存在しているのか」、「なぜ、この地球ができたのか」と自問する私たちに、その神秘の扉を開くカギを与えてくれているのかもしれません。

おわりに……「ヴァーチャル・リアリティーの世界」への入り口

今、占星術の世界では、**「地球は200年に一度の転換期を迎えようとしている」**といわれています。物質的な財や富を追い求める「土の時代」から、形のない精神性を重んじる「風の時代」へと移行しているというのです。

実際、物質的な満足感や地位、肩書などに本質的な幸せは存在しません。新たな時代に必要なのは、誰かの期待に応えて「どうあるべきか？」と生きることではなく、あなた自身が「どうありたいのか？」を考えて、生きることなのです。

しかし、この世界は今、逆流をしています。

インターネットの普及によって、見なくていいものまで見え、聞かなくていい言葉まで聞こえ、言わなくていいことまで伝わるようになってしまいました。

ゲームなどの「形のないもの」に依存しては課金を繰り返し、気がついたら、物事の一面しか映せない「無機質な心」が広がっている。一方で、ＳＮＳで人とつながれる時間も長くなったために、傷つく必要のないところで傷つくことも増えてしまったという事実……。

まさしく、これが「ヴァーチャル・リアリティーの世界」への入り口でしょう。

この世界は、あなたの心を惹《ひ》きつけて離さない、知恵の実を口にした「リリス」（＝クババ）のつくり出した「箱庭（ＣＵＢＥ）」といっていいのかもしれません。ですから今、**この本を手に取っているあなたから目覚めなければならない**のです。

最後に、「都市伝説の裏の裏」ファミリーの〈シヴァ＝なお〉、〈ジェリ＝しゅうじ〉、〈カグッチ＝ほのか〉、〈フレキ＝ゆーいちろー〉、〈コブウシ＝けんてぃ〉、〈教授＝なみ〉に感謝を込めて。

本書は、本文庫のために書き下ろされたものです。

見《み》てきたように面白《おもしろ》い「超古代史《ちようこだいし》」

著者　黒戌　仁（くろいぬ・じん）
発行者　押鐘太陽
発行所　株式会社三笠書房
〒102-0072 東京都千代田区飯田橋3-3-1
電話　03-5226-5734（営業部）03-5226-5731（編集部）
https://www.mikasashobo.co.jp
印刷　誠宏印刷
製本　ナショナル製本

 ISBN978-4-8379-6989-1 C0130

王様文庫

王様文庫

いいことがたくさんやってくる！「言霊」の力

黒戌 仁

運をつかむ人は「パワーのある言葉」を上手に使っている！ ◎言霊の基本は、「シェア」と「いいね」と「ありがとう」 ◎一寸先を〝光〟に変える言葉 ◎神様は、「私は○○します」という切る人が好き……「魂の声」を活かして、自分の魅力と可能性をもっと引き出す本。

眠れないほどおもしろいやばい文豪

板野博行

文豪たちは、「やばい！」から「すごい！」 ◇炸裂するナルシシズム！ 「みずから神にしたい一人だった」 ◇「女は『神』か『玩具』かのいずれかである」 ◇「純愛一筋」から「火宅の人」に大豹変！ ◇なぞの自信で短歌を連発！ 天才的たかり魔……全部、「小説のネタ」だった⁉

眠れないほどおもしろい世界の三大宗教

並木伸一郎

キリスト教、イスラム教、仏教の「謎と不思議」に迫る本！ ◇キリスト教とイスラム教の「神」は本当に同じ？ ◇なぜイエスは磔にされたのか ◇「アッラーの言葉」を伝えた天使ジブリール ◇「ブッダの教え」の背景にある秘密とは……「ドラマティックな世界」がそこに！

K30574